SANS RETOUR

ŒUVRES DE DANIELLE STEEL
AUX PRESSES DE LA CITÉ

(Suite en fin d'ouvrage)

Danielle Steel

SANS RETOUR

Roman

*Traduit de l'anglais (États-Unis)
par Laura Bourgeois*

Les Presses de la Cité

L'édition originale de cet ouvrage a paru en 2019 sous le titre *Turning Point* chez Delacorte Press, Random House, Penguin Random House Company, New York.

Les Presses de la Cité, un département Place des Éditeurs
92, avenue de France   75013 Paris

ISBN : 978-2-258-19177-8
Dépôt légal : mars 2022

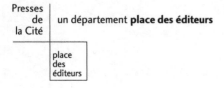

Presses de la Cité | un département **place des éditeurs**

place des éditeurs

À mes merveilleux enfants adorés,
Beatie, Trevor, Todd, Nicky, Samantha,
Victoria, Vanessa, Maxx, et Zara,
Pour que les catastrophes et les défis de vos vies
se révèlent des tournants salutaires et bénis.
Je vous souhaite la bravoure, la sagesse, la chance,
le soutien et l'amour de ceux qui vous entourent.
Puissent vos choix être guidés par vos désirs profonds
pour qu'ils vous apportent le bonheur.

Je vous aime tant,
Maman/D S

1

Bill Browning était depuis cinq heures aux urgences, et il bouclait sa troisième intervention chirurgicale. C'était encore une blessure par balle. Le patient allait s'en sortir, comme le premier. Malheureusement, le deuxième avait succombé – un adolescent de 16 ans, victime de la guerre des gangs qui faisait rage dans une ville gangrenée par le trafic de stupéfiants. Bien que ce soit Noël, c'était une journée comme une autre au San Francisco General Hospital. C'était là qu'étaient transférés les cas les plus graves de la région, par ambulance ou hélicoptère. L'hôpital, équipé pour les catastrophes de grande envergure, possédait un excellent service de traumatologie. L'établissement était une institution publique mais jouissait aussi de financements privés, et d'une entente avec la faculté de médecine de l'Université de Californie : tous les médecins qui y exerçaient étaient également enseignants, ce qui contribuait au prestige du lieu. Les dotations privées avaient récemment permis de faire construire un nouveau bâtiment et, ainsi doublée, la capacité d'accueil du service traumato permettait de traiter 300 patients simultanément.

À côté de l'annexe flambant neuve, l'édifice d'origine restait incontestablement sinistre. Chaque porte y était verrouillée par digicode, et l'on avait déjà vu des gangs rivaux se tirer dessus au sein même des urgences, voire tourner leurs armes contre les infirmières, malgré l'installation de portiques détecteurs de métaux – une difficulté supplémentaire à gérer pour le personnel médical déjà bien occupé par ailleurs.

Bill, 39 ans, était à la tête de ce service de traumato de pointe. Il travaillait pendant les fêtes, faute de meilleur programme. C'était son cadeau à ses collègues : leur permettre de passer du temps chez eux, en famille, en cette période spéciale. Il n'avait que faire des célébrations de fin d'année lorsque ses filles ne les passaient pas avec lui. Il n'en avait la garde qu'un Noël sur deux.

Dans l'ancien bâtiment, les infirmières avaient orné les urgences et la salle d'attente de décorations que personne ne semblait remarquer. Les patients étaient en trop piteux état et leurs familles dans un trop grand désarroi pour que quiconque prête attention aux guirlandes orphelines éparpillées un peu partout dans le service. Grippes, intoxications alimentaires, bronchites ou chevilles foulées étaient envoyées vers les autres hôpitaux de la ville. Ici n'arrivaient que les cas les plus graves, ainsi qu'un flux constant de sans-abri blessés. C'était un défi de taille pour le personnel hospitalier et une expérience inestimable pour les étudiants en médecine. Au cours de sa carrière, Bill Browning avait été témoin de tout ce que les humains étaient capables de s'infliger. Plus rien ne le choquait. Pourtant, les ravages des guerres de gangs ne cessaient de l'attrister. Ces morts inutiles, ces jeunes vies gâchées à cause d'un mauvais tournant. Comme celle du garçon de 16 ans dont il avait signé le certificat de décès à peine deux heures plus tôt.

Bien loin d'un Noël idyllique, Bill Bowning était sur le pont depuis 10 heures du matin et n'avait cessé de courir partout. Ses filles de 9 et 7 ans, Philippa et Alexandra – ou Pip et Alex, pour les intimes –, vivaient à Londres avec leur mère. Femme et enfants étaient parties dès qu'Athena avait reçu l'accord de son pédiatre pour voyager avec Alex, alors un nourrisson de 3 semaines. Athena brûlait de retrouver son Angleterre natale, et son mariage avec Bill s'était étiolé bien avant qu'elle ne demande le divorce. Lui avait vaillamment tenté de redresser la barre et de la convaincre de leur laisser une seconde chance, en vain.

Depuis, Bill se plongeait corps et âme dans le travail. Il avait la garde de ses filles pendant un mois l'été et un Noël sur deux, et il leur rendait visite chaque fois qu'il passait à Londres. Athena s'était remariée peu de temps après le divorce, et de cette union étaient nés des jumeaux, maintenant âgés de 2 ans. Rupert, son nouvel époux, appartenait à l'aristocratie anglaise. Il était exactement le genre d'homme sur lequel son choix aurait dû se porter dès le début. La famille d'Athena l'avait bien compris. Ils avaient toujours considéré Bill – qu'ils surnommaient « l'Américain » – comme une erreur de jeunesse.

Athena et Bill s'étaient rencontrés à New York. Elle avait 23 ans et lui 29. Il était alors interne à Stanford, après des études de médecine à la prestigieuse université de Columbia. Déjà à l'époque, il adorait San Francisco et son climat qui lui permettait de pratiquer randonnée et sports nautiques toute l'année, et il n'était rentré dans sa ville natale que pour voir ses parents.

La famille de Bill évoluait dans un microcosme élitiste et snob qui l'avait toujours mis mal à l'aise, et qu'il fuyait à tout prix. Mais lors de cette fameuse visite, il avait succombé à la pression parentale et accepté de les accompagner à une soirée, où il avait fait la rencontre d'Athena. Le jeune homme avait eu le souffle coupé par sa beauté spectaculaire, un brin excentrique et tapageuse, et son côté rebelle. Athena avait grandi dans le milieu sophistiqué et glamour de la jet-set cosmopolite, et séjournait chez des amis à New York.

Un vrai coup de foudre. Un mois plus tard, la jeune femme suivait Bill à San Francisco pour prolonger leur liaison torride. Puis elle était restée. Tout le temps qu'il ne consacrait pas aux gardes interminables à l'hôpital, il le passait au lit avec elle ou à lui faire découvrir les sports qui le passionnaient. Athena trouvait à leur histoire un charme exotique ; Bill était si différent de tous les hommes qu'elle avait pu fréquenter. Il était franc, honnête, travailleur et humble. Elle était audacieuse et sexy, un oiseau rare.

Six mois plus tard, elle tombait enceinte de Pip et ils s'envolaient pour Londres afin d'expliquer la situation à ses parents. Bill lui avait demandé de l'épouser, ce qu'il avait toujours eu l'intention de faire – quoique pas si tôt. Ils s'étaient mariés au cours d'une cérémonie discrète. Ni le clan américain ni le clan anglais n'étaient enchantés par cette décision. La famille de la mariée le trouvait trop ennuyeux. La famille du marié la trouvait trop osée.

Il avait fallu cinq minutes à Athena pour tomber amoureuse de Bill, et un an pour prendre conscience de son erreur, et de leurs différences. Bill n'était pour elle qu'un détour, pas sa destination. Mais elle était enceinte de six mois, et sa grossesse les avait rapprochés pendant un temps.

À la naissance de Pip, Bill avait fait l'acquisition d'une demeure victorienne à Noe Valley, parfaite pour fonder une famille et commencer leur vie ensemble. C'était exactement ce dont il avait toujours rêvé : une femme qu'il aimait et un bébé adorable, dans la maison pleine de charme d'un quartier résidentiel et familial. Mais Athena se sentait prisonnière comme un oiseau exotique en cage. Ses parents lui avaient envoyé une nounou de Londres afin d'alléger le poids de son nouveau rôle de mère, et elle avait profité de ce luxe pour rentrer fréquemment en Angleterre voir ses sœurs, ses parents et ses amis. À chaque retour auprès de Bill et de leur bébé, elle retrouvait sa vie à San Francisco avec moins d'enthousiasme.

Mais au moment où Athena avait compris qu'elle n'avait plus de sentiments pour Bill, elle était tombée enceinte par accident, après une soirée trop arrosée. Pip avait 15 mois. Athena avait passé l'essentiel de cette grossesse à voyager entre Londres et San Francisco, de plus en plus déprimée.

Malgré l'avis des siens – qui n'avaient jamais aimé la jeune femme et étaient très déçus du mariage dans lequel il s'était empêtré –, Bill s'était entêté à croire qu'Athena finirait par se poser et s'habituer à la vie de famille. Même son beau-père lui avait suggéré d'abandonner sa carrière de médecin, de déménager en Angleterre et de rejoindre son entreprise de commerce international s'il voulait que son mariage fonctionne. Selon lui, sa fille ne se transformerait jamais en Californienne. Le seul qui refusait l'évidence, c'était Bill.

Trois semaines après la naissance d'Alex, Athena avait emmené ses deux filles en vacances dans la résidence secondaire de ses parents dans le Sud de la France. À la fin de l'été, elle avait appelé Bill pour lui annoncer qu'elle ne reviendrait pas, et qu'elle souhaitait divorcer. Dévasté, il avait tenté de la raisonner. Mais elle était tombée amoureuse de Rupert sur la Côte d'Azur, et Bill n'avait plus aucune chance.

Athena et Rupert avaient grandi ensemble. Aussi libre et excentrique qu'elle, il faisait partie du sérail – et il était lord, comme son père. Cette nouvelle romance avait sonné le glas de ses trois années californiennes. Bill était resté à Noe Valley jusqu'à ce que le divorce soit prononcé, avec l'espoir qu'elle changerait d'avis. C'était peine perdue. Il s'était finalement résigné à vendre la jolie maison et emménager dans le quartier de l'Embarcadero, avec vue sur la baie de San Francisco et son pont.

Cinq ans plus tard, Bill vivait toujours dans ce même appartement spartiate, à peine meublé. Il n'avait jamais pris la peine de le décorer, se contentant de l'essentiel acheté chez IKEA. Seule la chambre réservée à ses filles était égayée par une gamme complète de mobilier et d'accessoires roses. Le reste était aussi vide et désolé que son cœur.

Quand ses filles lui rendaient visite l'été, ils passaient leur temps à voyager. Balades au lac Tahoe, camping dans la réserve naturelle de Yosemite, road-trips, journées à Disneyland… Comme tous les pères divorcés, Bill tentait désespérément de créer un lien avec ses enfants durant le peu de temps qui lui était imparti. Auprès de demi-frères qu'elles adoraient, de leur beau-père et de leur mère, les filles étaient devenues de vraies petites Anglaises. Et lorsque leur père évoquait l'idée de faire leurs études aux États-Unis, seule Pip semblait vaguement intéressée. De toute façon, elle avait encore neuf ans avant d'y songer sérieusement.

Le reste du temps, Bill se jetait à corps perdu dans le travail, fermement convaincu qu'il n'avait pas besoin de plus. Il n'y avait pas eu d'autre femme dans sa vie depuis Athena, même s'il n'était plus amoureux d'elle depuis des années. Elle lui avait brisé le cœur quand elle l'avait quitté en embarquant leurs filles. Il commençait seulement à mesurer à quel point ils n'étaient pas faits l'un pour l'autre, mais se disait que ça n'avait plus d'importance, et jurait qu'il ne gardait aucune rancune du divorce. Aujourd'hui, c'étaient Pip et Alex les amours de sa vie. Il admettait volontiers être accro au boulot, et n'y voyait aucun mal.

Le célibat lui laissait tout le loisir de se consacrer à son travail – et à ses filles, le peu de temps qu'il les avait. Il ne voulait pas d'une nouvelle compagne qui s'immiscerait dans sa relation avec elles. Il ne voyait que rarement ses parents et son frère restés à New York. Ce dernier était un avocat d'affaires pétri d'ambitions politiques, marié à une avocate en droit de l'environnement qui défendait une multitude de causes. Le couple jouissait d'une vie sociale hyperactive. Loin de toutes ces préoccupations mondaines, Bill était bien plus heureux avec sa tranquillité à San Francisco, où il partageait son temps entre l'hôpital et la nature. Il ne regrettait pas ce choix.

Si son frère s'épanouissait dans l'aura de cette réputation et du réseau qui allait de pair, Bill, même enfant, avait toujours détesté la notoriété qui précédait son nom de famille. Depuis leurs hautes sphères new-yorkaises, leurs parents voyaient Bill comme un marginal, un rebelle. Sa vie et sa situation professionnelle les laissaient perplexes. Il n'avait jamais aspiré à la brillante carrière médicale à laquelle il aurait pu prétendre à New York. Soigner les plus défavorisés aux urgences d'un hôpital public de San Francisco était exactement ce qu'il voulait faire. Là-bas, son nom de famille ne signifiait rien, et cet anonymat lui plaisait tout autant que la solitude dans laquelle il s'était replié depuis le divorce. Personne ne savait rien de sa vie privée, ce qui était précisément son intention. Infirmières comme futures médecins s'émerveillaient de son physique avantageux sans qu'il leur prête la moindre attention.

Depuis le divorce, sa vie sentimentale se résumait à quelques rendez-vous sans lendemain. Son seul regret était que ses parents connaissaient à peine leurs petites-filles. Athena n'avait rien fait pour, et eux n'avaient guère fait d'efforts non plus. Leur désapprobation envers leur ancienne bru s'étendait aux fillettes. Quand ils voyageaient à Londres, ils prenaient le thé avec elles seulement s'ils en avaient le temps. Et quand ce n'était pas eux qui jugeaient trop contraignant de consacrer un moment à leurs petites-filles, c'était Athena qui se chargeait de leur compliquer la tâche. L'organisation n'était jamais aisée, avec elle. Elle restait vague, n'était absolument pas fiable – elle avait toujours été comme ça. Si bien que Pip et Alex ne ressentaient pas de véritable attachement envers leurs grands-parents américains. Elles voyaient uniquement leur père, mais trop peu. Il les appelait plusieurs fois par semaine, et faisait de son mieux pour se tenir au courant de ce qui se passait dans leurs vies. Maintenir une relation proche avec des enfants à 10 000 kilomètres n'était pas chose aisée. Comme toutes les jeunes filles de la haute société anglaise, Pip quitterait le foyer pour le pensionnat dans deux ans, et elle avait hâte. La distance ne jouait pas en faveur de son père, qui faisait son maximum pour compenser cette injustice en s'envolant pour Londres chaque fois que son emploi du temps surchargé lui en donnait l'occasion. Même si, désormais, ses filles étaient de plus en plus occupées avec leurs amies.

Les urgences se remplissaient davantage d'heure en heure. Bill redirigea une crise cardiaque vers l'unité de soins intensifs – un vieil homme d'un quartier mal famé amené par les ambulanciers. Il établit les diagnostics d'un sans-abri récemment amputé et d'un toxicomane avec une plaie gravement infectée qu'il envoya en chirurgie, avant de passer à une suspicion de méningite chez un enfant qu'il adressa aux urgences pédiatriques pour une ponction lombaire. Puis il appela un neurochirurgien pour une femme dans le coma, victime d'une commotion cérébrale après un accident de la route. Tout ça dans la même journée. Dans la salle d'examen suivante, il prit le temps de bavarder avec une vieille femme qui avait fait une mauvaise chute dans l'escalier. Plus de peur que de mal : par miracle, sa hanche était indemne, et il se montra chaleureux et rassurant avec elle. L'hôpital était doté d'un service gériatrique fantastique, le meilleur de la ville. L'empathie de Bill et la façon dont il leur faisait la conversation semblaient tout à fait naturelles aux yeux des patients. En même temps, il guettait minutieusement des symptômes enfouis derrière les blessures les plus évidentes. Il traitait chaque malade avec le plus grand soin, et sans discrimination, ce qui lui valait le respect et l'admiration des infirmières. Contrairement à de nombreux médecins, il n'aimait pas se faire mousser et n'avait pas un ego démesuré. C'était un homme bien, un vrai. À ces qualités, on pouvait ajouter de beaux cheveux bruns, des yeux chocolat au regard bienveillant, et une carrure athlétique qu'on devinait même sous sa blouse. Son sourire, alors qu'il discutait avec la femme de 90 ans, illuminait la pièce. L'infirmière remplaçante ne le lâcha pas des yeux et, quand il quitta la salle d'examen pour passer à la suivante, elle rendit son verdict : Bill était canon. Elle se tourna vers une collègue qui connaissait l'hôpital depuis longtemps.

— Waouh... C'est qui ce prince charmant de garde aujourd'hui ?

— C'est le chef du service de traumato. Il est toujours de garde les jours de fête, précisa la plus âgée. Mais ne te fais pas d'illusions. Ça fait dix ans que je travaille ici, et je ne l'ai jamais vu sortir avec quelqu'un de l'hôpital. Il est réglo.

— Marié ?

Il était bien trop séduisant pour qu'elle abandonne si vite.

— Divorcé, je crois. En tout cas le contraire m'étonnerait, avec toutes les gardes qu'il prend. C'est un accro au boulot. Comme tout le monde, ici. Il me semble qu'il a des enfants, quelque part à l'autre bout du monde. En Australie ou en Nouvelle-Zélande, j'oublie à chaque fois. C'est pour ça qu'il travaille à Noël.

— Pas de petite amie non plus ? demanda l'infirmière avec espoir.

— S'il en a une, je la plains. Les médecins en traumato font des horaires de dingue. Dégote-toi plutôt un gentil dermato. Eux, au moins, ils ont du temps, plaisanta sa collègue. J'ai travaillé avec lui à Noël il y a deux ans, et au Nouvel An. Même à Thanksgiving, il est toujours là.

— Probablement parce qu'il n'a pas encore rencontré la femme de sa vie.

— Si tu le dis.

Elles terminèrent de préparer la salle d'examen pour le patient suivant, alors que Bill était bipé pour une nouvelle blessure par balle. Cette fois c'était un garçon de 18 ans, amené par la police. Il succomba pendant l'auscultation sans que Bill puisse rien faire pour le sauver. Blessé à l'abdomen et au thorax, il avait déjà perdu bien trop de sang. Bill se dirigea avec un air sombre vers le bureau des infirmières pour remplir la paperasse. C'était sa deuxième blessure fatale de la journée. La famille du garçon avait été prévenue mais n'était pas encore arrivée. Noël allait être une terrible épreuve pour eux. Il leva la tête et vit un des policiers qui l'avaient conduit à l'hôpital. Sachant ce que les formulaires administratifs signifiaient, l'homme s'était approché, dépité.

— Ce n'était qu'un gosse.

La police était arrivée sur la scène du crime juste après le départ de l'agresseur.

— Comme souvent, dit Bill avec une expression grave.

Son biper retentit pour l'appeler dans une autre salle d'examen. Il était déjà en chemin quand le policier lui lança :

— Joyeux Noël quand même, docteur !

Depuis le couloir, le médecin lui adressa un signe de la main.

— Oui, à vous aussi.

Ce geste lui rappela de consulter sa montre. Ses filles se trouvaient dans un chalet à Gstaad, que Rupert avait loué pour les vacances. Il était 16 heures à San Francisco, et 1 heure du matin en Suisse. Pip et Alex devaient être profondément endormies après un Noël festif avec leur mère, leur beau-père et leurs demi-frères. Bill les avait déjà appelées à minuit pour lui, 9 heures du matin pour elles. Encore huit heures avant de pouvoir leur parler à nouveau. Cette perspective l'aida à rester motivé alors qu'il récupérait les résultats d'analyse d'un patient. La nuit allait être longue, et parler avec ses filles serait sa récompense – en attendant de les retrouver en chair et en os. Tant qu'il avait Pip, Alex, et le service de traumatologie de l'hôpital de San Francisco, il n'avait besoin de rien d'autre.

En ce 25 décembre, Stephanie Lawrence fut réveillée à 6 heures du matin par ses fils Ryan et Aden, 4 et 6 ans, qui débarquèrent bruyamment dans la chambre parentale pour se jeter sur elle et son mari. Visiblement, les petites voitures et les sucres d'orge fourrés dans les chaussettes suspendues à la cheminée n'avaient pas suffi à les distraire plus de quelques

21

minutes. Ryan se glissa sous la couette, les mains et les joues poisseuses de sucre, et Andy grogna, encore à moitié endormi.

Le couple était resté debout jusqu'à 3 heures pour faire les paquets cadeaux et monter les petites roulettes sur les nouveaux vélos des garçons – des jouets achetés en ligne, faute de temps pour faire les boutiques. Maintenant, les garçons trépignaient d'impatience à l'idée de découvrir ce que le père Noël avait déposé pour eux au pied du sapin. Andy ouvrit un œil et regarda sa femme.

— Quelle heure est-il ?

Dehors, l'obscurité totale donnait l'impression d'être encore au beau milieu de la nuit.

— 6 h 10, répondit-elle en se penchant vers lui pour l'embrasser.

Il passa un bras autour d'elle avant de basculer sur le dos, alors que les garçons poussaient des cris de joie.

Les Lawrence vivaient dans une vieille maison cossue de l'Upper Haight. À l'époque où ils l'avaient achetée, elle ne se trouvait qu'à quelques rues du travail de Stephanie. Depuis, la clinique de l'Université de Californie avait ouvert une annexe dans le quartier de Mission Bay, et s'y rendre prenait plus de temps. Mais le couple aimait trop la maison pour en changer.

Stephanie était traumatologue à la clinique de l'Université de Californie. C'était l'un des meilleurs établissements de tout l'État, au coude à coude avec celui de Stanford, où elle avait fait ses études.

Andy, lui, était pigiste. Il avait occupé un poste de journaliste au *San Francisco Chronicle* dans les premières années de leur mariage, puis Stephanie était tombée enceinte alors qu'elle était encore interne, et il avait proposé de rester à la maison pour s'occuper du bébé. Ses responsabilités de père avaient peu à peu mis un frein à ses ambitions professionnelles. Derrière son sacrifice se cachait le rêve de décrocher le Pulitzer pour ses articles sur la crise urbaine. Mais il tenait à soutenir la carrière de Stephanie, si bien que la sienne avait été reléguée au second plan. Le couple avait embauché une aide-ménagère à mi-temps pour qu'Andy puisse travailler à son compte quelques heures par jour. Cet arrangement avait bien fonctionné pendant les six dernières années, mais à mesure que Stephanie grimpait les échelons, elle avait de moins en moins de temps à consacrer aux garçons... et Andy devait compenser. Stephanie ne comptait pas ses heures, animée par l'ambition de devenir cheffe du service traumato. À 35 ans, elle était spécialisée à la fois dans ce domaine et en neurologie.

Au même âge, Andy rédigeait des articles pour des journaux et des magazines californiens, mais sa carrière n'avait pas décollé comme il l'avait espéré. Il parlait d'écrire un roman sans s'y être jamais attelé, et Stephanie doutait qu'il le fasse un jour. C'était un journaliste talentueux, mais il manquait d'ambition. Le temps qu'il consacrait aux garçons rognait sur son temps d'écriture, et Stephanie culpabilisait. Elle était souvent impliquée dans les politiques hospitalières, ce qui l'accaparait plus encore. En ce jour de Noël, elle était d'astreinte à partir de midi, et espérait ne pas être appelée pour pouvoir passer la journée en famille.

Andy et Stephanie étaient tous les deux nés à San Francisco, mais leurs chemins ne s'étaient croisés qu'à l'âge adulte. Fille de médecin, Stephanie avait grandi à Marin et fait toute sa scolarité dans le privé. Elle avait ensuite rejoint l'Université de Californie à Berkeley – où elle avait décroché son diplôme de premier cycle plus tôt que le reste de sa promo –, puis l'école de médecine de Stanford, avant de revenir à San Francisco pour son internat. Andy, en revanche, n'avait fréquenté que des établissements publics et était diplômé en journalisme de l'Université de Californie à Los Angeles. Ils s'étaient rencontrés à l'époque où il avait intégré la rédaction du *San Francisco Chronicle*, alors que Stephanie faisait sa spécialisation en neurologie. Ils étaient ensemble depuis dix ans, mariés depuis sept. Leur union était solide, même s'il lui reprochait sans cesse de ne pas passer assez de temps avec leurs fils. Elle faisait de son mieux et les garçons semblaient le comprendre davantage que leur père, qui ne se privait pas de commentaires amers à chaque événement important qu'elle manquait. Cette année, elle avait dû partir précipitamment en plein milieu du spectacle de Noël de l'école, quand un car scolaire avait été percuté par un camion sur le Golden Gate Bridge, et dix enfants blessés amenés à la clinique. Elle se disait qu'au moins, elle avait eu le temps de voir Aden chanter « Jingle Bells » sur scène. Elle était toujours partagée entre son travail, son mari, et ses enfants. Andy n'avait jamais mesuré à quel point elle serait débordée une fois sa carrière lancée. Et elle-même trouvait plus difficile que prévu de jongler entre les rôles.

Stephanie était respectée, appréciée, travailleuse. Une meneuse née, jouissant d'une réputation exemplaire. Elle s'astreignait scrupuleusement à rester à la pointe des techniques médicales les plus innovantes, et faisait plus d'heures que ses collègues, malgré ses enfants en bas âge. Elle n'avait pris que trois semaines de congé maternité après la naissance d'Aden, et deux après celle de Ryan. Sa carrière était sa priorité – ce n'était un secret pour personne –, ce qui ne l'empêchait pas d'aimer profondément sa famille, et de faire son possible pour passer du temps avec elle... Sauf qu'il n'y avait jamais assez d'heures dans une journée. Le plus souvent, les enfants dormaient déjà quand elle rentrait enfin du travail, et Andy ne manquait pas de lui dire qu'ils l'avaient réclamée en pleurant au moment du coucher. Son absence était la pomme de la discorde au sein de leur couple. Le ressentiment d'Andy grandissait, et ils étaient tous les deux conscients que la situation ne s'arrangerait pas à mesure qu'elle grimperait les échelons.

Premier à s'extirper du lit, Andy hissa Ryan sur ses épaules pour descendre l'escalier, Aden trottinant à côté de lui. Stephanie enfila sa robe de chambre et les suivit. Les garçons laissèrent échapper des cris de joie à l'instant où ils aperçurent les vélos, et les essayèrent aussitôt dans le salon, manquant de renverser le sapin au passage.

— Doucement, les garçons ! dit Andy alors qu'ils abandonnaient leurs bolides pour se jeter sur les autres cadeaux.

Stephanie prit quelques photos et les filma avec son téléphone, puis elle se dirigea vers la cuisine. Il était entendu que lorsqu'elle était à la maison le matin, c'était elle qui s'occupait du petit déjeuner, car Andy préparait déjà le dîner tous les soirs. Elle cuisina du pain perdu et dressa la table tandis que les enfants ouvraient les derniers paquets, puis elle les appela.

Les garçons s'installèrent à leurs places respectives. Stephanie servait une tasse de café à Andy quand Aden lui lança un regard surpris.

— Et le bacon, maman ?

— Oups... Désolée, j'ai oublié.

Elle ne chercha pas à rectifier son erreur – le temps de frire les tranches de lard, les garçons auraient déjà quitté la table pour jouer avec leurs nouveaux vélos. Andy n'aurait jamais oublié le bacon. Quant à Stephanie, les arts ménagers n'étaient pas son fort. Elle était une excellente médecin, mais une piètre cuisinière.

Après le petit déjeuner, ils retournèrent dans le salon et Andy brancha la guirlande électrique du sapin qu'il avait décoré avec Aden et Ryan. Stephanie avait promis de les aider, mais elle avait été retenue à l'hôpital à cause d'un traumatisme crânien sévère. Rebelote pour les maisons en pain d'épices que les enfants avaient construites avec leur père. Elle était rentrée in extremis pour les voir y apposer la touche finale. Elle passait son temps à expliquer aux garçons qu'elle devait travailler, et à s'excuser pour tout ce qu'elle manquait.

Surexcités, ils faisaient de périlleux tours de vélo dans le salon, bien trop près du sapin. Stephanie lança des chants de Noël. Andy et elle étaient épuisés d'avoir passé la nuit à tout mettre en scène. Elle débarrassa le verre de lait, sans compter les cookies et les carottes destinés aux rennes – dans lesquels elle avait croqué pour faire illusion, pendant que lui rédigeait des lettres de la part du père Noël.

Stephanie laissa les garçons jouer jusqu'à midi, puis elle les aida à ranger leurs cadeaux dans la chambre pendant qu'Andy prenait sa douche. Elle sourit en le voyant revenir en jean avec un pull noir qui mettait en valeur ses reflets blonds et ses yeux bleus. C'était un homme très séduisant que ses amies lui enviaient depuis leur mariage. De sa pratique universitaire du football américain – interrompue au bout d'un an à cause d'une blessure au genou –, il gardait de larges épaules et une taille fine, entretenues à la salle de sport qu'il s'efforçait de fréquenter quand les enfants étaient à l'école.

Andy l'embrassa. Pour l'instant, la journée était une réussite. La veille, ils avaient réveillonné à Marin chez les parents de Stephanie, avec sa sœur et ses neveux et nièces, et ils devaient encore rendre visite à la mère d'Andy à Orinda, dans l'est de la baie de San Francisco.

— Maman a hâte de nous voir ce soir. J'espère qu'on ne t'appellera pas, dit Andy avec un regard lourd d'avertissement.

— J'espère aussi.

De fait, il n'y avait rien d'autre à faire que croiser les doigts. Elle avait été contrainte de s'inscrire en astreinte, tous les employés de l'hôpital devant sacrifier un jour férié. Avec un peu de chance, le personnel de garde des urgences et du service de traumato serait capable de gérer l'afflux de patients sans aide supplémentaire. Mais si on faisait appel à elle, elle ne pourrait pas refuser. C'était le règlement.

Andy prépara des sandwichs pour déjeuner sur le pouce. Puis, alors que les garçons jouaient dans leur chambre, Stephanie et Andy profitèrent d'une demi-heure de tranquillité pour se reposer et bavarder sur leur lit, jusqu'à ce que les garçons les rejoignent, curieux de voir ce qu'ils faisaient. Andy proposa de leur mettre un film et revint quelques minutes plus tard. Stephanie s'était assoupie en robe de chambre, ravie de pouvoir, pour une fois, prendre son temps. Elle avait l'intention de porter sa nouvelle robe en velours noir, mais il était encore trop tôt pour s'apprêter. Ils devaient partir de la maison à 17 heures, afin d'arriver chez la mère d'Andy pour 19 heures – en comptant les embouteillages sur le Golden Gate Bridge. Andy était fils unique et sa mère, veuve, chérissait leurs visites. La dernière remontait à Thanksgiving, et Stephanie avait été retenue à l'hôpital. Elle savait que sa belle-mère ne comprenait pas pourquoi elle n'insistait pas plus pour poser ses congés. Elle ne comprenait pas que c'était incompatible avec l'ambition de devenir cheffe de service. La concurrence était rude et certains sacrifices inévitables. Elle n'était pas la seule médecin compétente de la clinique universitaire. Mais elle était déterminée à gravir les échelons jusqu'au sommet.

Stephanie avait promis à Andy d'habiller Aden et Ryan avec les costumes en velours assortis que sa belle-mère leur avait offerts, avec un petit nœud papillon rouge. La chose faite, elle les confia à Andy le temps de se doucher à son tour. Elle peigna ses longs cheveux blonds et les attacha en un élégant chignon bas, puis se maquilla – ce qu'elle avait rarement l'occasion de faire. Elle passa une paire de talons et des boucles d'oreille en or, et sourit en voyant son mari très chic en pantalon et blazer.

À cet instant, elle sentit son téléphone vibrer dans la pochette calée sous son bras, et pria pour que ce ne soit pas l'hôpital. L'écran indiquait le trop familier indicatif 911 et le numéro de la traumato. Elle décrocha immédiatement, sous le regard perçant d'Andy qui l'écouta répondre avec attention. Elle donna rapidement pour instruction d'appeler le neurochirurgien d'astreinte, et annonça qu'elle serait sur place trente minutes plus tard. Andy se décomposa. La loi de Murphy avait encore frappé : chaque fois qu'ils étaient sur le point de partir, l'hôpital l'appelait. Il se rendait à plus de la moitié des événements sans elle. Il avait certes l'habitude, mais cela ne rendait pas la situation plus agréable. Sans compter qu'il affronterait seul la contrariété de sa mère face à l'absence de Stephanie le soir de Noël – un moment sacré pour elle, comme pour Andy.

— Qu'est-ce que je suis censé dire à ma mère ? demanda-t-il avec un agacement non dissimulé.

Comme si c'était une première… Stephanie songea qu'à force, il aurait pu comprendre que cela n'avait rien de personnel. Il aurait dû être capable d'expliquer les choses à sa mère sans en faire tout un cirque.

— La vérité, par exemple. Que je suis d'astreinte et que j'ai été appelée. Et que je suis vraiment désolée de ne pas pouvoir être là ce soir.

Elle le pensait sincèrement, mais elle était agacée qu'Andy en rajoute devant les garçons, témoins de la tension grandissante entre leurs parents.

— Elle ne comprend pas pourquoi tu acceptes ce genre de chose.

Il ne dit pas que cela restait un mystère pour lui aussi.

— Pourquoi les gens qui n'ont pas d'enfant ne se portent-ils pas volontaires ? insista-t-il néanmoins.

— Ils le font. Mais le service de traumato et les urgences sont particulièrement sous tension les soirs comme celui-ci.

Son père était obstétricien et sa mère n'en avait jamais fait tout un plat. Stephanie trouvait injuste qu'Andy, lui, se plaigne. Enfant, déjà, elle comprenait parfaitement la situation.

Elle les accompagna jusqu'à la voiture et attacha Ryan dans son siège auto, pendant qu'Andy installait Aden sur un rehausseur. Sans piper mot, Andy lui lança un regard mécontent et prit le volant. Quand la voiture sortit de l'allée, Stephanie leur adressa un dernier signe de la main. Une fois rentrée à la maison, elle suspendit sa nouvelle robe en velours dans la penderie et enfila un jean, un pull, des sabots et la blouse blanche brodée à son nom. Elle passa son badge autour de son cou, attrapa son sac à main et fila vers sa voiture, direction l'hôpital à Mission Bay.

— Joyeux Noël, se dit-elle à voix haute.

Son esprit était déjà au travail. C'était une sensation rassurante, car elle s'apprêtait à faire ce qu'elle maîtrisait le mieux. Elle adorait son mari et ses enfants, mais c'était à l'hôpital qu'elle se sentait le plus épanouie. Elle y était à sa place.

Aux urgences du centre médical Alta Bates Summit d'Oakland, un attroupement s'était formé autour de Thomas Wylie. Des éclats de rire féminins ricochaient comme autant de ballons s'élevant dans les airs. Elles étaient au moins six à offrir un auditoire à ses anecdotes sur sa formation à Chicago, son année en Irlande et son bénévolat au Zimbabwe. Fort d'une vie palpitante et d'une carrière riche et variée, il avait des millions d'histoires à raconter – et en inventait probablement une sur deux. Peu importait, car Tom Wylie savait faire rire les infirmières. La rumeur disait qu'il avait couché avec la moitié du personnel féminin de l'hôpital. Bien que crédible, c'était sans doute un peu exagéré. Avec son physique d'acteur hollywoodien et la nonchalance qu'il avait conservée de sa jeunesse, il paraissait une décennie de moins que ses 43 ans. Après des études à Yale, à l'école de médecine de l'Université de Chicago, et un internat à l'université de Californie à Los Angeles, il s'était brièvement adonné au mannequinat afin de fréquenter des top-modèles, et avait atterri par hasard à Oakland quand un poste s'était ouvert en traumato. Le centre médical Alta Bates Summit était la plus grande clinique privée dans l'est de la baie de San Francisco.

Tom Wylie se plaisait à dire qu'il était nomade dans l'âme, sans attaches, et ne parlait jamais de son enfance. C'était un séducteur chevronné qui n'avait guère connu de longues relations et ne s'en cachait pas. Il n'avait aucune intention de se marier un jour. Dès qu'une femme s'entichait trop de lui, il disparaissait du paysage. Bourré de charme, il avait une sacrée réputation au lit, et semblait incapable de résister à la tentation de séduire toutes les femmes qui croisaient son chemin. Il collectionnait les conquêtes ; c'était son loisir.

Bien malgré eux, ses collègues masculins étaient forcés de reconnaître qu'ils l'appréciaient pour son humour, son audace et son talent. Car en dépit de sa nonchalance, c'était un excellent médecin et un atout solide en situation de crise. Il prenait sa carrière très au sérieux – à défaut du reste. Quand il était question de femmes, il se transformait en plaisantin de service et en Don Juan. Si certaines infirmières plus âgées et plus conservatrices désapprouvaient son comportement, elles-mêmes peinaient à le détester tant il parvenait à les amadouer. Son charme était ravageur, et il savait en faire usage.

Trois infirmières s'attardèrent tandis que les autres repartaient travailler, plongeant le service dans un calme éphémère. Tom ne voyait pas d'inconvénient à monter au front le jour de Noël, il le faisait souvent. Il n'avait nulle part où le fêter et pas de famille, alors il libérait les médecins mariés pour qu'ils puissent rester chez eux avec leurs enfants. Les deux dernières heures avaient été étonnamment tranquilles.

— Tout le monde doit être en train de déballer ses cadeaux, dit Tom en lançant un regard séducteur à une infirmière de 22 ans tout juste sortie de l'école. Si vous n'étiez pas aussi jeune et jolie, je vous inviterais à venir jouer chez moi, mais je suis sûr que votre père ou votre copain m'étriperait.

Elle s'esclaffa. Pour Tom Wylie, l'âge n'était pas un problème. Toutes les femmes étaient des amantes potentielles, qui succombaient tour à tour à son charme.

L'arrivée d'un garçon de 6 ans mit fin au badinage. Rescapé d'un accident de voiture mais inconscient, il avait été amené par hélicoptère. Sa mère et sa sœur étaient mortes sur le coup, et son père au bloc opératoire, dans un état grave. Tom supervisa l'auscultation de l'enfant et appela immédiatement le spécialiste de neurochirurgie pédiatrique, qu'il assista pendant les trois heures de l'opération. L'état de l'enfant restait critique mais stable, et Tom informa les infirmières qu'il passerait la nuit à l'hôpital pour surveiller ses constantes. Il remonta à l'étage principal pour rassurer le père de l'enfant, mais découvrit qu'il était lui-même encore sur la table d'opération. Pendant l'heure qui suivit, Tom vérifia l'état du petit garçon toutes les quinze minutes et annota son dossier – sans oublier d'adresser un sourire à Maisie, la doyenne des infirmières. Cette dernière était habituée au contraste entre son manque de sérieux avec les femmes et sa rigueur de médecin toujours attentif à ses patients.

— Je pense que vous devriez me raccompagner chez moi après le service, souffla-t-il à Maisie.

— Quand vous voulez, répliqua-t-elle avec un sourire.

Il éclata de rire et déposa une bise sur sa joue.

— Heureusement qu'il y a encore quelqu'un qui veut bien de moi ici, dit-il.

Il reporta son attention sur le dossier médical, soulagé maintenant qu'il savait que l'enfant survivrait. Le neurochirurgien en pédiatrie avait fait du bon boulot pour soulager la pression intracrânienne sans provoquer de dommages collatéraux – un risque non négligeable lors d'une procédure si délicate.

Tom Wylie incarnait la rencontre inattendue entre le médecin consciencieux et le coureur de jupons. Si sa désinvolture participait à son charme infaillible, elle le rendait également incapable de s'attacher. Derrière le bouclier de l'humour, il ne partageait aucune information personnelle sur son passé, et les femmes qui l'avaient fréquenté en savaient aussi peu sur lui que n'importe qui. Bravache, il prétendait que le mariage était son pire cauchemar et qu'il préférait concevoir la vie comme un buffet à volonté plutôt que de consommer le même menu tous les soirs. Certains de ses confrères mariés commençaient à croire qu'il avait peut-être raison.

La plupart de ses collègues aimaient travailler avec lui. Il apportait un peu de légèreté à un métier stressant, ses compétences médicales étaient impressionnantes, et son dévouement à ses patients était une preuve irréfutable de son amour pour la médecine.

Pour la sixième année consécutive, Wendy Jones passait le réveillon et le jour de Noël seule. C'était le prix à payer quand on aimait un homme marié. D'ailleurs, elle n'en espérait pas davantage quand elle était tombée amoureuse de Jeffrey Hunter, une sommité en chirurgie cardiaque de la clinique de l'université Stanford. Ils s'étaient rencontrés à l'hôpital alors qu'ils traitaient un patient ensemble. Un regard avait suffi pour qu'elle tombe amoureuse. Quand il l'avait appelée le lendemain, elle s'était sentie flattée d'éveiller l'intérêt d'un chirurgien si brillant.

Le sachant marié, elle avait accepté de déjeuner avec lui avec hésitation. Mais il lui avait confié que son couple battait de l'aile depuis des années, et que la séparation était imminente. À l'en croire, Jane était lasse de son rôle d'épouse de chirurgien, mariée à un homme qu'elle ne voyait jamais, plus dévoué à ses patients qu'à ses quatre enfants. Jeff admettait volontiers être un mari et un père peu présent, car son travail était très exigeant, surtout dans sa spécialité : les transplantations cardiaques. Impossible d'abandonner une opération pour assister au match de foot de son fils ou à un dîner chez des amis. Son travail était sa priorité. Jeff prétendait que sa femme et lui menaient des vies séparées, et qu'il comptait mettre officiellement fin à leur mariage d'ici la fin de l'année. À l'époque, Wendy l'avait cru. Avec le recul, elle était convaincue qu'il était alors sincère. Mais au bout de six mois de liaison, sa femme l'avait convaincu que les enfants étaient trop jeunes pour traverser un divorce, et il s'était résigné. Comme Wendy. À partir de cet instant, elle avait compris que rien ne serait facile entre eux.

Six ans plus tard, Jeff était toujours marié, son plus jeune fils avait 11 ans, et ses aînés faisaient leur entrée à l'université. Il promettait à Wendy que lorsque le benjamin serait au lycée, il serait plus à l'aise avec l'idée de quitter le foyer familial. Ce n'était que trois ans de plus à attendre, mais Wendy se demandait maintenant s'il tiendrait vraiment parole avant que son fils ne soit diplômé – en admettant qu'il le fasse un jour. Elle s'était juré de mettre fin à leur liaison une centaine de fois, sans jamais y parvenir. Il l'avait toujours persuadée de rester, ses arguments étaient si convaincants, et surtout... ils s'aimaient.

Ils formaient le couple parfait. Tous les deux médecins diplômés de Harvard, ils avaient été internes au Massachusetts General Hospital, avant qu'on ne leur propose un excellent poste à Stanford. Celui de Wendy, en traumato, était presque aussi stressant que le sien en cardio. Si les hommes qu'elle avait fréquentés lui reprochaient toujours son dévouement à son travail, Jeff la comprenait.

Wendy se demandait souvent s'il avait fait les mêmes promesses en l'air à sa femme qu'à elle, tant les choses semblaient immuables. Il travaillait trop, acceptait trop de consultations, au détriment de son entourage. Toute son attention allait à ses patients, bien plus qu'à l'une ou l'autre des femmes de sa vie. Le week-end, il restait à la maison pour passer du temps avec ses enfants. De même pour les jours de fête. Il accordait à Wendy son mercredi soir, quand il avait le temps, et si elle-même ne travaillait pas. Parfois, il passait chez elle à l'improviste après sa garde, pour y voler une heure avant de retrouver sa famille. Ces moments à deux, leurs conversations à bâtons rompus, leur vie sexuelle épanouie nourrissaient la passion qui la dévorait. Même si ces dernières années, il avait cessé de promettre de quitter sa femme. Wendy n'osait plus aborder le sujet avec lui, et les jours particulièrement significatifs, comme Noël, lui rappelaient le peu qu'elle partageait réellement avec lui. Elle n'avait droit qu'à ses mercredis soir. Jeff, qui compartimentait tout dans sa vie, l'avait rangée dans un petit écrin et s'attendait à ce qu'elle y reste.

Wendy commençait aussi à prendre conscience de toutes ces expériences à côté desquelles elle passait, faute de pouvoir les vivre avec lui : concerts, opéras,

ballets. Elle qui adorait les musées avait cessé d'y flâ-
ner, car elle ne voulait pas risquer de manquer une
heure avec son amant. Et s'il appelait et voulait passer
la voir à l'improviste ? Elle ne voyait plus ses amies
non plus, car toutes étaient mariées et avaient des
enfants, tandis qu'elle avait honte de n'être que la
maîtresse d'un homme déjà pris.

Depuis six ans, elle s'en tenait aux règles dictées par
Jeff. À 37 ans, Wendy n'avait que son travail et une
nuit par semaine avec le mari d'une autre. Si sa carrière
était épanouissante, le reste de sa vie ne l'était pas.
Wendy avait l'impression d'être une voiture de collection que l'on sort pour les grandes occasions, mais
qu'on laisse au garage le reste du temps. Elle voulait
partager bien plus avec lui. Malheureusement, c'était
impossible. Pas de week-ends ni de vacances prévus
dans leur arrangement. Tous les ans, Noël venait lui
rappeler combien elle était naïve, et la réalité la frappait comme une gifle. Elle avait beau se promettre
de le quitter, elle n'en avait pas la force. Une fois
le Nouvel An passé, elle retrouverait leur routine du
mercredi et continuerait d'espérer secrètement que les
choses changent, se taisant par crainte de le perdre.
Elle se contentait des miettes qu'il voulait bien lui
donner tout en essayant de se convaincre qu'elles suf-
fisaient à la sustenter.

Aux yeux de Wendy, aucun homme ne pouvait riva-
liser avec Jeff. Personne n'était aussi intelligent, doué,
attirant. Elle était tombée dans un piège dont elle ne

parvenait pas à s'extirper. Pour le réveillon, il lui ne lui avait envoyé qu'un bref message :

Je pense à toi. Je t'embrasse. J.

Alors qu'il se trouvait avec femme et enfants, elle n'avait que ses doutes pour seule compagnie dans sa maison de Palo Alto. Petit à petit, elle avait sacrifié sa vie pour lui.

En théorie, Wendy avait tout : la santé, la beauté – souple et menue, avec des cheveux bruns et les yeux d'un bleu profond –, et surtout l'intelligence. Mais avoir terminé major de promo à Harvard ne changeait rien à sa situation. Malgré une carrière brillante à Stanford, chacune de ses décisions était influencée par sa relation avec Jeff. Elle n'acceptait aucune invitation au cas où il passerait chez elle au débotté, tant elle craignait de manquer une minute avec lui. Le mercredi soir était sacré et Jeff se tenait autant que possible à ce tout petit créneau qu'il lui avait alloué. Il avait posé des limites très claires, et tout devait se faire selon ses règles. Il contrôlait son monde, et celui de Wendy. Entre eux, pas d'appels ni de mails, seulement des SMS – et uniquement en journée. Elle se demandait souvent ce qu'il adviendrait en cas d'urgence, si elle avait besoin de le joindre. Le cas ne s'était jamais présenté. Elle s'en voulait énormément de lui sacrifier sa vie, pour si peu en retour.

Cette année, elle n'avait même pas pris la peine d'acheter un sapin. À quoi bon ? Jeff n'était pas là pour le voir, et les décorations ne feraient que lui rappeler sa solitude. Mieux valait ignorer complètement la période. Il lui avait offert un jonc en argent serti d'un diamant de chez Cartier, qu'elle aurait échangé sans hésiter, ainsi que tout ce qu'elle possédait, contre un Noël passé avec lui. Il occupait ses pensées en permanence, et à chaque fois qu'elle se retrouvait seule, elle l'imaginait avec sa femme et ses enfants. Se projeter avec lui à 45 ou 50 ans, c'était d'ailleurs faire une croix sur l'espoir d'en avoir un jour. Elle serait toujours incapable de le quitter, et Jeff comptait là-dessus. C'était une situation parfaite pour lui, mais beaucoup moins pour elle.

Wendy était d'astreinte pour le réveillon et le jour de Noël, mais son téléphone ne sonna pas. Les urgences de Stanford semblaient calmes. Elle écouta donc des chants de Noël qui la déprimèrent plus encore, et pensa à Jeff. Six ans avec lui, et un avenir toujours aussi flou. Sa seule certitude, comme chaque année, c'était que rien n'allait changer.

2

Tom Wylie bavardait avec une anesthésiste autour d'un café en salle de repos quand il vit des flammes embraser l'écran de la télévision. Le son était coupé, et il resta hypnotisé par l'incendie. Très vite, une bannière défila en bas de l'image, sur laquelle s'affichait le nom d'un hôtel sur Market Street, dans le centre-ville de San Francisco. Aussitôt, Tom saisit la télécommande sur la table basse et remit le son. Les caméras montraient la circulation interrompue, les camions de pompiers et les clients de l'hôtel rassemblés derrière un cordon de sécurité à plusieurs centaines de mètres, pour laisser la place aux sapeurs qui accouraient. Les longues échelles avaient été déployées contre la façade, et les pompiers pénétraient dans l'enceinte depuis plusieurs étages. Ils étaient 200 à avoir été mobilisés sur cet incendie de catégorie 5. Selon les premières informations, les inhalations de fumée avaient causé plusieurs victimes et deux secouristes étaient blessés. Du fait de ses vastes salles de conférences et de sa grande salle de réception dédiée aux mariages, 2 000 clients et des centaines d'employés se trouvaient dans l'hôtel, d'après les estimations du journaliste. Les deux médecins, les yeux rivés sur l'écran, virent un nouvel étage s'enflammer et ses fenêtres exploser sous la chaleur.

Il y eut un silence dans la pièce, puis Tom réagit :

— On dirait qu'on va avoir du monde ce soir.

— Ils vont d'abord les envoyer à l'hôpital SF General et au centre des grands brûlés de Saint-Francis, répondit l'anesthésiste sans quitter du regard l'incendie hors de contrôle.

Alors que plusieurs médecins et infirmières s'attardaient en salle de repos pour suivre l'actualité, Tom jeta son gobelet en carton dans la poubelle et alla prendre des nouvelles de son jeune patient. Le garçon était encore sous sédatif mais il allait bien, et le médecin en fut ravi. Cinq minutes plus tard, il était de retour devant l'écran pour regarder les flammes et la ribambelle d'ambulances qui affluaient sur les lieux.

— Sacré incendie, commenta Tom gravement.

On suspectait un court-circuit dans les guirlandes lumineuses des sapins d'en être à l'origine, mais la piste criminelle n'avait pas encore été écartée. Deux étages entiers de l'hôtel étaient en proie aux flammes. On entendait en arrière-plan les explosions des fenêtres soufflées par la puissance du feu qui gagnait les étages suivants.

Les médecins urgentistes se consultaient, tentant d'estimer la répartition des victimes au sein du réseau hospitalier de l'est de la baie de San Francisco, et ils s'accordèrent à dire que les hôpitaux de ville seraient privilégiés, mais qu'il n'était pas déraisonnable de penser qu'Alta Bates accueillerait également quelques victimes. Tom alla trouver l'infirmière responsable des urgences pour lui demander de vérifier dans la réserve qu'ils avaient de quoi traiter autant de brûlures. Il voulait que tout soit prêt pour accueillir les victimes qui seraient peut-être affrétées en hélicoptère. Ce n'était pas le moment de plaisanter.

À 17 heures, la nuit commençait à tomber et on avait installé des projecteurs pour illuminer Market Street. Les lances à eau inondaient l'hôtel, en vain.

À l'hôpital de San Francisco, Bill Browning et son équipe étaient suspendus à la même chaîne d'infos. À sa demande, ils firent l'inventaire des stocks, puis il pria les infirmières de prévenir tous les médecins d'astreinte ce soir-là. Il voulait une équipe au complet pour prendre en charge les victimes. L'hôpital SF General était en première ligne. En moins d'une heure, tout le personnel était prêt et rassemblé autour des télévisions. L'incendie progressait, six étages étaient maintenant ravagés et la façade de l'hôtel était couverte d'échelles. Les pompiers venaient de Marin et de tout l'est de la baie pour se joindre aux brigades de la ville. Market Street était toujours fermée à la circulation, et la fumée épaississait l'air au point qu'on avait fait reculer les clients de l'hôtel de plusieurs centaines de mètres encore. Le journaliste rapportait une fournaise, même depuis la rue.

— À votre avis, on peut en accueillir combien ? demanda Bill à un médecin qui venait d'entrer.

Depuis l'inauguration du nouveau bâtiment, le centre hospitalier pouvait recevoir jusqu'à 284 patients, et tous les lits n'étaient pas occupés ce soir-là.

— Soixante, sans problème. Une centaine s'il le faut.

Ils avaient récemment eu droit à une formation en cas d'attentat terroriste, qui leur serait d'une grande utilité dans la gestion d'un si grand nombre de patients. Bill appela son contact au département de police, pour lui donner une idée de leur capacité d'accueil et du nombre de victimes qu'il faudrait rediriger vers la clinique de l'université de Californie.

— On va vous en envoyer 20 tout de suite. Surtout des personnes âgées avec des difficultés respiratoires à cause de la fumée. Les secours ont monté un chapiteau d'urgence pour les blessés légers. Les gars de la gestion des situations de crise sont arrivés, ils trient les patients. Préparez-vous. La nuit va être longue. On vient d'envoyer une dizaine de pompiers à Saint-Francis.

Stephanie venait d'arriver à la clinique quand l'incendie s'était déclaré et, après avoir ausculté les trois patients pour lesquels elle avait été appelée, elle avait rejoint le personnel médical agglutiné devant la télévision. À 17 h 30, elle vit les ambulances arriver sur les lieux.

Dix minutes plus tard, ces mêmes ambulances déboulaient à l'hôpital SF General avec les premiers cas d'inhalation de fumée, et une femme enceinte que Bill envoya aussitôt en salle d'accouchement. Elle faisait une crise de panique et s'inquiétait pour son bébé.

D'autres véhicules suivirent avec des blessés légers, dont un client de l'hôtel qui s'était cassé la jambe en tombant dans l'escalier lors de l'évacuation. Huit pompiers gravement brûlés arrivèrent ensuite. Bill s'occupait du triage des patients à l'entrée des urgences. Les brancardiers amenaient des victimes au visage couvert de suie, qui peinaient souvent à respirer. Ils atteignirent les limites de leur capacité plus vite que prévu, et Bill rappela son contact de la police pour lui demander de rediriger le prochain convoi vers la clinique de l'université de Californie, le temps de donner à l'hôpital de San Francisco une chance de réorganiser ses effectifs et de s'occuper des grands brûlés.

À la clinique universitaire, Stephanie prit en charge le tri des patients avec deux autres médecins en traumato : deux crises cardiaques, des pompiers blessés, ainsi que des enfants accompagnés de leurs parents... Et l'incendie n'était pas terminé. À la télé, on estimait les dommages à plusieurs centaines de millions de dollars. Deux pompiers avaient péri : un jeune de 24 ans et un vétéran resté coincé dans les décombres. Alors que les ambulances défilaient à la clinique, d'autres étaient déjà déroutées vers le centre médical Alta Bates Summit. Des dizaines de victimes étaient envoyées par hélicoptère au service traumato de Stanford, où Wendy se tenait prête à les accueillir avec un service des urgences au complet.

Les journalistes parlaient de la plus grande catastrophe de l'histoire de la ville depuis le tremblement de terre de 1906. À 20 heures ce soir-là, les clients avaient été relogés dans les autres hôtels de SF qui avaient reconverti leurs salles de réception pour y installer buffets et lits d'appoint, lorsque toutes les chambres avaient été remplies. Tout le monde se mobilisait pour prêter main-forte. La cellule de crise travaillait en étroite collaboration avec la police et les pompiers. Elle avait été mise en place par le Department of Emergency Management – le « DEM » comme on l'appelait –, le service chargé de la gestion des situations d'urgence pour la région de San Francisco.

Il était 2 heures du matin quand le feu fut maîtrisé et qu'on l'estima restreint à l'hôtel. Tous les hôpitaux avaient installé des brancards dans les couloirs, et des infirmières remplaçantes avaient été appelées à la rescousse. C'était un désastre sans pareil. Le maire et le gouverneur, déjà sur les lieux, avaient programmé des visites aux hôpitaux.

À 8 heures le lendemain matin, 37 clients de l'hôtel avaient succombé à leurs blessures, ainsi que neuf pompiers restés piégés sous les décombres. Quarante autres pompiers étaient blessés, ainsi qu'une centaine de civils au moins. L'évacuation avait été effectuée de manière irréprochable, mais la panique avait eu de lourdes conséquences. Avant d'être contenu, l'incendie s'était propagé à un grand magasin voisin, et Market Street avait l'air d'une scène de bombardement.

Stephanie ne rentra pas chez elle avant 14 heures le lendemain de l'incendie, exténuée et sa blouse blanche noire de suie. Andy avait suivi la progression de l'incendie à la télévision toute la nuit, et Stephanie lui avait envoyé un message à 2 heures du matin pour lui dire que les urgences étaient débordées. Les victimes remplissaient tous les hôpitaux de la ville, et même les médecins qui n'étaient pas d'astreinte et appartenaient à d'autres services étaient venus en renfort.

— Comment est la situation à la clinique ? demanda Andy.

Elle se laissa tomber sur un fauteuil, soulagée que les garçons soient en train de faire la sieste. Elle était crasseuse, à bout, et n'avait pas fermé l'œil de la nuit.

— C'est un champ de bataille. Exactement comme ce que décrivaient nos exercices de préparation aux attentats terroristes, mais en pire. Pourtant, ce sont les pompiers qui étaient en première ligne.

L'hôtel avait été complètement rongé par les flammes. Les sapeurs avaient combattu l'incendie pendant quinze heures, et beaucoup continueraient de lutter pendant des jours pour s'assurer qu'il n'y aurait pas de retour de flamme et pour déterminer les causes de l'incendie. Stephanie espérait qu'il n'était pas criminel, ce qui aurait rendu le drame plus cruel encore. Elle se leva pour aller prendre un bain, puis se réfugia dans son lit. Andy entra dans la chambre et s'assit à côté d'elle. Alors seulement elle se souvint du dîner de la veille.

— Comment ça s'est passé chez ta mère ? Avec l'incendie, j'aurais de toute façon été mobilisée.

— Elle était contrariée, mais elle sait que c'est le principe de ton boulot. Ce qu'elle ne comprend pas, c'est pourquoi tu es obligée de travailler à Noël, dit-il doucement.

— Parce que les gens se blessent, même à Noël. Tout le monde a été réquisitionné hier soir. On a même dû accoucher deux femmes au beau milieu des urgences, parce qu'on n'avait pas le temps de les transférer à la maternité.

Le pire, c'était les brûlures. Beaucoup de patients n'y survivraient pas, dont des pompiers ayant fait preuve d'une immense bravoure.

Quand Stephanie s'endormit, son visage retrouva enfin un air serein. L'ensemble du service de traumato avait réalisé un travail exceptionnel. Elle était fière de cette équipe, et d'en faire partie.

Bill Browning était encore au cœur de l'agitation. Il n'avait même pas eu le temps d'appeler Pip et Alex à minuit. À l'hôpital SF General, on faisait encore du triage, et il avait en plus récupéré des patients sans domicile fixe qui, dans leur abri trop proche de l'incendie, s'étaient retrouvés blessés par les débris.

À Stanford, Wendy était surmenée. Jeff était arrivé en renfort à minuit mais, comme tous les patients cardiaques avaient été transférés à l'hôpital de San Francisco et à la clinique de l'université de Californie pour gagner du temps, il était reparti rapidement après avoir échangé deux mots avec elle.

Tom Wylie rentra chez lui à 15 heures. Son patient de 6 ans, opéré la veille après un accident de la route, s'était réveillé et se rétablissait. La relève de la garde était arrivée, et il avait enfin pu quitter son poste. De nuit, à la lueur des bougies, son appartement déprimant pouvait avoir un certain charme, mais de jour la lumière crue ne cachait plus les meubles usés et la peinture écaillée. Tom n'avait jamais beaucoup investi dans son loyer et se fichait de l'endroit où il vivait tant qu'il dormait dans un lit king-size. Il attrapa machinalement la télécommande et alluma la télévision pour rompre le silence. Il s'attendait à entendre pleuvoir les louanges sur la cellule de crise qui avait fait un boulot fantastique pour répartir les victimes dans les différents hôpitaux. Sauf qu'au lieu de Market Street, Tom vit des images de la tour Eiffel et des Champs-Élysées. On était le 26 décembre en France, minuit, et un bandeau défilait en bas de l'écran : *Attentats terroristes à Paris.* Un correspondant américain décrivait en direct une scène de carnage sur la plus belle avenue de la capitale. Quatre boutiques de luxe et deux cinémas qui diffusaient surtout des films américains en VO avaient été pris d'assaut. Des clients et spectateurs, parmi lesquels on comptait des enfants, avaient été retenus en otage. Un terroriste s'était fait exploser dans un des magasins et un autre avait pris un des ascenseurs de la tour Eiffel avec le même objectif, avant d'être abattu sans avoir eu le temps d'actionner sa ceinture explosive.

On dénombrait 102 décès et 53 blessés. C'était la série d'attentats la plus meurtrière depuis ceux du 13 novembre 2015, un nouveau crime contre des civils innocents qui profitaient simplement des boutiques, des cinémas et des restaurants des Champs-Élysées. Rien ne pouvait justifier le massacre d'innocents et de jeunes enfants. Les attentats avaient eu lieu à 18 heures, juste avant la fermeture des boutiques. Les larmes roulèrent sur les joues de Tom face aux scènes de massacre qui défilaient devant ses yeux au son des sirènes de la police déchirant la nuit. Les ravages de l'incendie de l'hôtel semblaient minimes en comparaison de ce que Paris traversait de nouveau.

Les journalistes relayèrent des actes d'héroïsme incroyables, des vidéos filmées par des témoins grâce à leurs téléphones portables et des interviews de survivants en larmes. Cette inconcevable tragédie fendait le cœur de Tom. Face aux récits des victimes, aux vies gâchées, aux dommages irréparables et au nombre de victimes de la fusillade et des bombes, la seule conclusion à laquelle pouvait arriver une personne saine d'esprit était que le monde ne tournait plus rond.

3

Le déblayage de la scène de l'incendie de Market Street fut un chantier considérable, et les pompiers inspectèrent les décombres de l'hôtel plusieurs jours durant en quête d'indices sur l'origine du feu. La piste criminelle fut finalement écartée. La faute revenait à une défaillance d'un circuit électrique, et le départ de flammes avait été alimenté par les sapins de 5 mètres qui décoraient chaque étage.

Trois pompiers succombèrent à leurs blessures, ainsi que deux personnes âgées – élevant le décompte total à 51 morts et 87 blessés. Il fallut plusieurs jours pour désengorger les hôpitaux, et une fois les blessés légers déchargés il ne resta plus que les grands brûlés, qui avaient encore un long chemin devant eux.

Quand arriva la Saint-Sylvestre, les établissements avaient retrouvé un rythme presque normal. À l'hôpital de San Francisco et au centre médical Alta Bates Summit, Bill Browning et Tom Wylie étaient de nouveau au travail. Wendy Jones était d'astreinte, et Stephanie Lawrence était de repos, pour le plus grand soulagement de toute la famille. Ses deux fils avaient attrapé un rhume et, refusant de les confier à une baby-sitter, Andy et elle avaient décidé de rester à la maison pour le réveillon. Ils débouchèrent une bouteille de champagne quand les garçons furent couchés et se mirent au lit devant un vieux film. Éreintée par sa semaine mouvementée à l'hôpital, Stephanie s'endormit à 22 heures, laissant Andy seul pour le passage à la nouvelle année.

À Paris, les attentats terroristes avaient laissé derrière eux un chaos plus durable que l'incendie. Tout le pays était de nouveau traumatisé par la tragédie. Bougies et fleurs s'amoncelaient le long des Champs-Élysées, devant les boutiques et les cinémas où plus d'une centaine de personnes avaient été assassinées. Une messe fut célébrée à Notre-Dame en hommage aux victimes. Les images des endeuillés diffusées à la télévision étaient déchirantes. Les Parisiens portaient des pancartes au nom de leurs proches décédés. Le massacre ravivait les événements passés, et cette fois il n'avait pas épargné les enfants. Le plus jeune avait 2 ans. Des familles entières avaient été assassinées.

Tom avait regardé CNN toute la semaine et pleuré devant chaque interview de rescapés. Alors qu'il consacrait sa vie à réparer les corps, d'autres souhaitaient leur destruction. Il aurait aimé trouver un moyen de se rendre utile, mais la France était bien loin. Cette pensée le déprimait profondément, alors qu'il regardait les nouveaux témoignages diffusés chaque jour.

Tous les terroristes étaient morts avec leurs victimes. La tristesse s'emparait de lui à chaque fois qu'il songeait à ce gâchis. Les nouvelles de France avaient éclipsé celles de San Francisco, car l'incendie de l'hôtel restait un regrettable accident. Tom repensa à ses dernières vacances à Paris, étudiant, avec deux amis. Il y était tombé amoureux de la capitale, et de chaque Française qu'il avait croisée.

Les attentats préoccupaient tout autant Bill Browning. Si cela pouvait arriver à Paris, cela pouvait avoir lieu à Londres, et il frissonnait d'effroi en songeant au risque que couraient ses filles. Il demanda à Athena d'éviter les cinémas et les événements sportifs pendant un temps, mais elle balaya ses inquiétudes avec dédain, proclamant que les Anglais étaient bien plus à cheval sur la sécurité, et lui parlant de l'impératif de profiter de la vie sans peur, pour ne pas faire le jeu des terroristes. Il fallait continuer normalement et leur montrer qu'ils avaient échoué à faire régner la terreur. Bill s'opposa avec véhémence à ce raisonnement et lui rappela que c'était au contraire le moment de prendre des précautions et pas des risques insensés. Il lui rappela l'explosion d'une voiture piégée devant Harrods, le plus grand magasin de Londres, qui avait eu lieu bien des années auparavant, ainsi que les attentats plus récents. Elle ne voulut rien entendre et rejeta tous ses arguments, ce qui le rendit plus anxieux encore.

Les autorités françaises et européennes rassuraient leurs citoyens : les services secrets et de contre-espionnage étaient passés en état d'alerte maximal. Mais certains politiciens semaient le doute en prétendant que la main-d'œuvre manquait – ce que le public n'avait aucun moyen de vérifier. De nos jours, il était à vrai dire impossible d'assurer la sécurité totale d'une nation. La CIA avait beau disposer de ressources bien plus puissantes et de technologies plus sophistiquées pour détecter les risques, les forcenés sévissaient dans le monde entier. Aux États-Unis, les fusillades se multipliaient dans les universités, les écoles, les restaurants, dans la rue, dans les établissements fédéraux et dans les églises. Personne n'était complètement en sécurité. Cette prise de conscience était terrifiante.

Les jours qui suivirent les attentats à Paris, Tom Wylie resta d'humeur sombre. Il fut surpris de recevoir un mail du directeur du centre médical, le convoquant pour un entretien. Tom l'avait déjà rencontré mais, n'ayant jamais été invité dans son bureau, il se demanda aussitôt si certains aspects de la gestion de l'incendie n'étaient pas parvenus aux oreilles de la hiérarchie. C'était la seule raison plausible pour une convocation, et il flairait les remontrances. À moins que le directeur n'ait enfin eu vent de sa réputation de tombeur. Et si une infirmière s'était plainte de son badinage ? La séduction n'était pourtant qu'un simple jeu auquel il se prêtait pour alléger l'atmosphère d'un quotidien sous tension. Mais ce n'était pas nouveau, et tout le monde savait déjà que ses attentions parfaitement innocentes ne visaient personne en particulier. Peut-être allait-il lui adresser un avertissement, léger ou sérieux, voire un blâme. On ne pouvait pas lui interdire de coucher avec les infirmières sur son temps libre, mais on pouvait lui faire une leçon de morale. Étrange, tout de même. Il était toujours absolument respectueux.

Tom, tout en fanfaronnade et bravade lorsqu'il s'agissait de conter fleurette, entra dans le bureau du directeur empreint d'humilité, ce qui était, croyait-il, la meilleure attitude à adopter. Une convocation au sommet, c'était du sérieux. L'air grave, il attendit que son crime lui soit reproché et que la sentence tombe.

Le directeur du centre médical se répandit en félicitations pour le sang-froid dont Tom avait fait preuve la nuit de l'incendie. Plusieurs médecins avaient rédigé des lettres élogieuses portant aux nues ses compétences indiscutables et sa compassion auprès des patients. Les éloges venaient du fond du cœur et, même si Tom les reçut sans en faire grand cas, il était très touché par ces marques de reconnaissance et surpris qu'on les lui rapporte.

Il attendit tranquillement que le directeur en vienne aux faits. Ce dernier embraya sur les attentats à Paris. Enfin, après vingt minutes d'analyse assommante sur la situation politique entre l'Europe et les États-Unis, il annonça à Tom qu'il avait une opportunité exceptionnelle à lui proposer. Une sorte d'invitation. Tom ne comprenait pas s'il s'agissait d'une bonne ou d'une mauvaise nouvelle. Le suspense était insoutenable.

— Une invitation à quoi ?

Les mots lui avaient échappé, tant il était incapable de supporter ce mystère plus longtemps. De quoi s'agissait-il donc ?

— Comme vous le savez sans doute, San Francisco est jumelée à la ville de Paris depuis une quinzaine d'années. Plutôt que d'attendre que nos chefs d'État intrépides trouvent un moyen d'enrayer le terrorisme et ses futurs attentats – ce qui ne sera peut-être jamais possible – le DEM, qui gère les situations d'urgence, et son équivalent français sous la tutelle du ministère de l'Intérieur proposent d'envoyer quatre de nos meilleurs traumatologues là-bas pour mettre en commun nos pratiques et connaissances en matière de gestion de crise. Leur invitation est valable pour quatre spécialistes, et vous serez reçus à Paris tous frais payés pour quatre semaines de séminaire. Après une pause de deux semaines, quatre de leurs médecins seront à leur tour invités à San Francisco pour que nous puissions leur montrer nos méthodes. Notre seul exemple de catastrophe de grande ampleur est le récent incendie qui a frappé la ville. Ce n'était certes pas un acte terroriste, mais certaines techniques mises en place pour gérer un grand flux de victimes et coordonner plusieurs centres hospitaliers en simultané méritent d'être partagées. Tous les rapports s'accordent à dire que vous avez accompli un travail héroïque ce soir-là, et je souhaiterais vous recommander pour ce projet, Tom. Je pense que vous serez un très bon atout pour cette équipe américaine, et il y a toujours beaucoup à apprendre de ce partage d'expertise. Nous ne sommes pas à l'abri

56

d'attentats terroristes ici non plus ni d'une fusillade par des forcenés en plein lieu public. Sans compter que les risques de tremblement de terre que connaît notre région nous soumettent à un danger permanent. Je crois que nos homologues français ont beaucoup à apprendre de nous. Et puis quatre semaines à Paris m'ont tout l'air d'une aubaine. Qu'en dites-vous ?

Tom rayonnait alors que les détails de la proposition se concrétisaient dans son esprit. L'opportunité de rencontrer des Françaises et de faire étalage de ses talents à l'internationale ! C'était la chance d'une vie.

— Je saurai me montrer à la hauteur, répondit-il avec un grand sourire. Je crois que nous avons tous beaucoup à apprendre les uns des autres.

Et plus particulièrement les Françaises, qu'il avait hâte de rencontrer. Les aspects mondains de la mission semblaient bien plus exaltants que les objectifs professionnels, maintenant qu'il savait que le directeur ne l'avait pas convoqué pour des réprimandes.

— Nous attendons de vous que vous nous représentiez avec dignité, précisa le directeur, comme s'il pouvait lire dans ses pensées.

Tom oublia aussitôt son sourire coquin.

— C'est un très grand honneur que nous fait Monsieur le Maire en nous permettant de proposer un candidat pour la mission. Quatre hôpitaux ont été choisis, et nous sommes très heureux d'en faire partie. Vos collègues semblent penser que vous êtes l'homme de la situation. J'ai cru comprendre que vous saviez garder votre sang-froid en cas de crise, que vous êtes à jour sur les méthodes de pointe et que, lorsque les choses deviennent sérieuses, vous êtes un excellent meneur qui ne déçoit jamais ses confrères.

C'était un éloge comme on en recevait peu, et Tom rayonnait.

— Merci, monsieur. Je ne vous décevrai pas.

— Si j'avais le moindre doute, je ne vous enverrais pas sur cette mission. Ils souhaitent que le projet soit mis en place rapidement, en raison des attentats récents. Vous partirez dans deux semaines et séjournerez à Paris pour un mois. Est-ce que ces délais vous posent problème ?

Le directeur n'était pas au fait de sa situation personnelle, mais Tom lui assura que rien ne le retenait à San Francisco sur cette période.

— C'est bon pour moi, conclut-il simplement.

Les deux hommes échangèrent une poignée de main au moment de quitter le bureau. Tom n'arrivait pas à en croire sa bonne étoile.

Il retourna au service traumato avec un immense sourire aux lèvres, qu'il était incapable de maîtriser. Il fit tournoyer Maisie, qui s'esclaffa de surprise quand il déposa un baiser sonore sur sa joue.

— Mais quelle mouche vous a piqué ? demanda-t-elle quand il la relâcha.

— Dans six semaines, je reviendrai vous faire valser, mais cette fois en parlant français, répondit-il, enchanté.

— Ça n'augure rien de bon, se moqua-t-elle.

— Oh que si, pour toutes les Françaises dont je vais chambouler la vie ! Paris, à nous deux !

Il attrapa un dossier médical sur le bureau et s'éloigna vers une salle d'examen, alors que l'infirmière reprenait son travail en riant. C'était un dangereux séducteur, mais qu'il était attachant, songea-t-elle.

À l'hôpital SF General, Bill Browning venait de recevoir le même discours de la part de son directeur, et lui aussi arborait un sourire jusqu'aux oreilles. La mission semblait fascinante et c'était une immense opportunité d'échange sur les techniques de la profession, mais il y voyait surtout la possibilité de passer quatre week-ends avec ses filles. Il pourrait leur rendre visite à Londres, ou demander à Athena de les lui envoyer à Paris. La perspective de passer du temps avec elles toutes les semaines pendant un mois était le plus beau cadeau qu'on puisse lui faire, et il avait hâte d'y être !

À Stanford, Wendy Jones resta ébahie un instant, saisie par une légère panique. Quatre semaines, c'était long. Elle ne s'était jamais absentée plus de quelques jours ces six dernières années, par peur de manquer un mercredi soir avec Jeff. Elle n'était pas à l'aise avec l'idée d'être séparée de lui si longtemps. Et s'il l'oubliait ? Et s'il découvrait qu'il pouvait très bien se passer d'elle ? Et s'il retombait amoureux de sa femme ? Ou pire, d'une autre ? Le dicton « loin des yeux, loin du cœur » résonnait en boucle dans son esprit. Elle n'était pas sûre que partir soit une bonne idée et n'en avait de toute façon pas particulièrement envie. L'invitation était flatteuse, bien sûr, mais sa situation avec Jeff était si précaire qu'une absence prolongée lui semblait un péril. Sur le coup, elle faillit refuser. Puis elle décida d'attendre et d'en discuter avec lui ce mercredi-là, pour voir ce qu'il lui conseillerait. S'il s'opposait à son voyage à Paris, elle refuserait poliment la proposition. Le directeur de la clinique de Stanford renouvela ses encouragements à accepter, arguant qu'elle serait une membre précieuse pour l'équipe, et la parfaite représentante de Stanford. Une réception serait organisée à l'hôtel de ville à l'arrivée de l'équipe. Tout cela semblait très excitant, même pour Wendy, mais pas au point d'y sacrifier sa relation. Inflexible, elle répondit qu'elle lui donnerait sa réponse jeudi.

En regagnant son service, elle se rendit compte que, aussi déprimante que soit la situation, et aussi bancal que soit leur arrangement, elle n'était pas prête à renoncer à Jeff. Elle se raccrochait à lui comme à la vie.

À la clinique de l'université de Californie, la situation était tout aussi compliquée pour Stephanie Lawrence. Elle resta d'abord stupéfaite quand on lui proposa de représenter l'établissement. Elle se sentit ensuite très flattée, et quand on eut fini de lui décrire la mission elle était même prête à courir à la maison pour faire ses valises. Mais alors qu'elle regagnait le service traumato, l'inquiétude l'assaillit. Qu'allait-elle dire à Andy ? Comment justifier son abandon et celui de leurs deux fils pendant quatre semaines ? Il allait être scandalisé. Mais cette opportunité la propulsait d'un échelon supplémentaire vers son objectif de diriger le service un jour. Faire partie de la délégation du maire était un immense honneur qu'elle ne voulait pas refuser – et d'ailleurs, elle avait déjà accepté. La réponse lui avait échappé sans même qu'elle y réfléchisse. La réalité la rattrapait maintenant, et elle mesura les ennuis qui l'attendaient à la maison. Et si son mari refusait qu'elle s'en aille ? Elle ne voulait pas manquer une occasion pareille, mais elle ne voulait pas pousser Andy à bout non plus.

Elle connaissait par cœur tous ses reproches à l'égard de son travail, qui se faisaient de plus en plus insistants ces derniers temps. Et voilà qu'elle allait devoir lui annoncer qu'elle partait à Paris pendant un mois. Elle ne savait pas quoi lui dire ni comment présenter les choses avec tact. Tout ce qu'elle savait, en s'asseyant derrière son bureau, le regard dans le vide, c'était qu'elle voulait y aller. Plus que tout au monde. C'était une chance extraordinaire qu'elle ne pouvait pas laisser filer. Il ne lui restait plus qu'à en convaincre Andy. La tâche la plus ardue de cette mission.

4

Stephanie profita d'une soirée de repos où elle pouvait rentrer à la maison plus tôt que d'habitude. Elle voulait créer les conditions idéales pour garantir un résultat optimal. Elle aborda le sujet une fois les garçons couchés, de la façon la plus détachée possible, un verre de vin à la main, alors qu'Andy et elle étaient installés au coin du feu.

— On m'a fait une offre incroyable cette semaine, dit-elle alors qu'ils sirotaient leur vin.

Andy était de bonne humeur. Un magazine californien lui avait récemment acheté un article sur la protection de la biodiversité à Marin. Cela faisait un certain temps qu'on ne lui avait pas commandé de piges, et des mois qu'il n'avait rien publié sur la crise urbaine. Les garçons l'accaparaient bien trop pour qu'il puisse écrire avec régularité, ce qui le frustrait beaucoup. Lui aussi aurait aimé avancer dans sa carrière. Il lui lança un regard méfiant.

— Quel genre d'offre ?

Ce type d'annonce marquait souvent le début d'un projet extrêmement exigeant qui rognerait sur leur vie de famille. Il la connaissait par cœur.

— Apparemment, le DEM finance un programme d'échange international lancé par la mairie de San Francisco et jumelé avec Paris. Le but, c'est de partager nos protocoles respectifs en cas d'attentat terroriste. Quatre médecins de chez nous vont être envoyés dans un service d'urgences à Paris, puis quatre médecins français viendront apprendre nos méthodes ici. C'est une idée brillante.

Andy fronça les sourcils, pressentant qu'elle ne disait pas tout.

— Pour combien de temps ?

— Quelques semaines, répondit-elle d'abord sans entrer dans les détails.

Puis elle décida qu'il valait mieux jouer cartes sur table.

— Un mois, avoua-t-elle d'une petite voix.

— Et tu veux y aller ? demanda-t-il, estomaqué.

— Le directeur m'a demandé d'être la représentante de notre établissement. Il n'y aura que des médecins de la baie de San Francisco. La clinique a reçu une invitation pour le spécialiste de son choix, et c'est moi qui ai été désignée. C'est un immense honneur, ajouta-t-elle pour le convaincre, en vain.

Il la dévisagea avec stupéfaction.

— Enfin, Steph... Tu veux vraiment partir pendant un mois ? Et les enfants ? Et moi ? Qu'est-ce qu'on va faire pendant ce temps-là ?

— Vous pourriez venir avec moi, proposa-t-elle pour calmer le jeu.

Il semblait contrarié.

— Avec deux enfants en bas âge, pour ne jamais te voir parce que tu seras trop occupée à travailler nuit et jour avec des médecins français ? Ça n'a pas de sens ! Les garçons ne tiendront pas en place dans un hôtel. Ils sont bien mieux à l'école. Mais un mois sans leur mère, c'est beaucoup trop long. Je commence à avoir l'impression qu'on te dérange. Ce n'était pas comme ça au début. Tu arrivais à trouver l'équilibre entre boulot et vie de famille, mais j'ai le sentiment que tu nous oublies complètement. Il faut que tu fasses un choix, Steph.

Devant tant d'amertume, elle sentit son cœur se serrer.

— Qu'est-ce que ça veut dire ? Que je dois choisir entre ma famille et ma carrière ? Mon père n'a jamais eu à se poser cette question. Il était obstétricien, il bossait comme un fou, parfois de nuit pendant des semaines entières. On le voyait à peine, mais personne ne lui a demandé de sacrifier son travail pour nous. Ma mère a fait en sorte que ça fonctionne, pour tout le monde.

— Moi aussi, je fais des efforts, figure-toi, mais peut-être que tout n'est pas aussi simple que tu l'imagines. Je suis ton mari, pas une jeune fille au pair. Moi aussi, j'aimerais que ma carrière aille de l'avant. Notre famille ne tourne pas qu'autour de toi. Et voilà que tu es prête à t'envoler un mois à Paris. On est quoi pour toi, Steph ? Qu'est-ce que je suis censé penser ? C'est quoi ta priorité : nous ou ton travail ?

Il ne l'imaginait pas renoncer à un mois à Paris pour rester avec eux. Et si elle le faisait, il savait qu'elle se sentirait lésée, et d'une certaine manière il la comprenait. C'était une invitation des plus flatteuses. Mais qu'elle y aille ou pas, il allait falloir qu'il vide son sac. Le partage des tâches et des responsabilités sur lequel ils s'étaient accordés commençait à lui peser. Ils s'étaient entendus pour soutenir tous les deux sa carrière de médecin, mais il était le seul à en payer le prix. Et même si elle ne le formulait jamais à voix haute, il était clair qu'elle considérait que sauver des vies était bien plus important qu'écrire un article.

— Pourquoi faudrait-il choisir ? insista-t-elle.

Elle ne voulait pas que la discussion vire à la dispute, personne n'en ressortirait gagnant. D'autant qu'il n'avait pas complètement tort, sa carrière était devenue de plus en plus prenante. Mais après tout, il savait à quoi s'attendre au moment de l'épouser. Dans ce métier, on n'avait pas des horaires de bureau, et surtout pas en traumato, où elle devait gérer des urgences vitales tous les jours. On pouvait parfois la convoquer à la clinique même quand elle n'était pas d'astreinte, juste parce qu'elle était la plus qualifiée.

— C'est une décision difficile pour moi aussi, dit-elle d'une voix douce en tentant de garder son calme. Ça m'embête de ne pas vous voir pendant si longtemps, mais ce programme… c'est un immense honneur, et j'ai tant à apprendre. Ça m'ouvrirait beaucoup de portes dans le milieu hospitalier.

Pour en fermer à la maison. Le ressentiment d'Andy ne cessait de croître. À force, il risquait de se lasser de cette vie de couple et de la tromper, voire de la quitter. C'était un homme charmant et très séduisant, et il rencontrait tous les jours de jolies jeunes mamans, des institutrices et probablement un million d'autres femmes dont elle ne savait rien. Mais par bien des aspects, il la bridait et la culpabilisait. L'année qui venait de s'écouler n'avait pas été un long fleuve tranquille pour eux, et elle ne trouvait jamais le temps de se faire pardonner.

— Je ne veux pas endosser le rôle du méchant, dit-il d'un ton ferme.

Il termina son verre d'une traite et se leva. Leur moment de détente au coin du feu avait vite tourné au vinaigre.

— Je refuse d'être celui qui te privera de cette opportunité en te disant que tu ne peux pas y aller. Cette décision t'appartient.

Mais à son ton, il était évident que, si elle choisissait de partir, elle en paierait le prix fort.

— Quand tu y réfléchiras, tâche de te souvenir que tu as une famille, dit-il d'un ton glacial. Peut-être que les médecins mariés avec des enfants en bas âge ne peuvent pas se permettre de faire le tour du monde et d'assister à des conférences d'un mois à l'étranger. Il arrive un moment où tout le monde doit faire des sacrifices.

— J'en fais, protesta-t-elle avec une mollesse qui ne la convainquait pas elle-même. Je renonce à plein de choses pour faire mon boulot et pour passer autant de temps que possible avec vous. Pour moi aussi, c'est difficile de jongler.

Bien plus que pour lui, qui n'avait pas de travail fixe. Sans compter que c'était un choix qu'ils avaient fait ensemble à la naissance d'Aden... Mais qui s'avérait plus compliqué qu'ils ne se l'étaient imaginé six ans plus tôt. Andy s'énervait à chaque fois qu'elle devait partir travailler au beau milieu de la nuit, quand elle rentrait tard, ou quand elle n'était pas disponible pour aller dîner chez leurs amis. Or c'était son salaire à elle qui faisait vivre leur famille. Lui ne gagnait pas assez d'argent pour payer l'école privée des enfants ni le crédit de la maison, qu'elle endossait à elle seule. Ils n'en parlaient jamais, mais c'était la réalité. Andy était devenu père au foyer et, même s'il essayait de lancer sa carrière d'écrivain, elle ne lui rapportait pour l'instant rien. Stephanie ne se plaignait jamais de sa faible contribution financière au foyer. Ce n'était pas la question. Le cœur du problème était qu'elle voulait être libre de faire son travail et d'en savourer les lauriers, sans qu'Andy ni les enfants ne la freinent dans sa lancée.

— Peut-être qu'on devrait faire une pause à ton retour, suggéra-t-il.

— Pourquoi ? Pour me punir ?

Cette réaction lui semblait injuste et disproportionnée.

— Je ne cherche pas à te punir, Steph. Mais on a besoin de repenser notre vie de famille. Il nous faut plus de temps ensemble, avec les enfants, si on veut que ça fonctionne.

— Ça fonctionnait très bien jusqu'à présent, dit-elle d'un air triste.

Lui aussi avait le même regard malheureux.

— Depuis longtemps, plus vraiment. En tout cas pas pour moi. J'ai l'impression d'être ton concierge et ta nounou. Tu travailles tout le temps. Quand tu n'es pas en consultation, il y a toujours des réunions, ou de nouvelles formations.

— Ça fait partie du jeu, et c'est ce qu'on attend de moi à l'hôpital. Je dois rester à la pointe des nouveaux protocoles, des nouvelles techniques chirurgicales, des nouveaux traitements.

— Nos enfants vont grandir et tu vas passer à côté de tout ça. Quand on s'est rencontrés, tu me disais que tu ne voyais jamais ton père quand tu étais petite. Tout ce temps que tu ne passes pas avec les garçons, tu ne pourras jamais le rattraper. Un mois à Paris, c'est long, même si l'invitation est flatteuse. Tu n'as pas besoin de savoir comment on gère le terrorisme en France. Tu vis et tu travailles ici, à San Francisco.

Il n'avait pas tort, mais c'était compter sans sa curiosité intellectuelle. Pendant un instant, elle rêva qu'il puisse l'accompagner. Ça n'avait aucun sens. Elle savait qu'il avait raison et qu'elle serait occupée vingt-quatre heures sur vingt-quatre. Andy resterait coincé à l'hôtel, car les enfants étaient trop jeunes pour apprécier une ville étrangère dont ils ne se souviendraient même pas.

— Tu veux proposer à ta mère de s'installer à la maison avec les garçons pour que tu puisses me suivre ? suggéra-t-elle en guise de compromis.

Mais il secoua la tête.

— Ils sont trop jeunes, ce serait trop de travail pour ma mère. Elle a 74 ans. Et ta mère ne pourra pas non plus. D'ailleurs, je n'accepterais jamais de les abandonner pendant un mois.

Son ton condescendant la culpabilisait davantage, comme toujours.

— Tiens-moi au courant de ta décision. C'est à toi de voir.

Elle s'attendait presque à l'entendre citer *Pinocchio* : « Écoute toujours la voix de ta conscience. » Pourquoi la vie exigeait-elle tant de sacrifices ? La parentalité était plus ardue qu'elle ne l'avait anticipé, et son mariage n'était pas simple non plus. Andy passait son temps à lui montrer qu'elle n'était pas à la hauteur. Il fréquentait des femmes qui ne travaillaient pas, les mères des camarades des garçons, et en comparaison elle était soudain devenue une criminelle à ses yeux. Il lui donnait l'impression d'être une mauvaise mère. Et si c'était vrai ? Et si elle créait des traumatismes irréparables chez ses enfants ? Mais si elle lâchait prise sur sa carrière et passait à temps partiel, elle ne s'en tirerait pas indemne et se sentirait privée d'une partie d'elle-même. Ce n'était vraiment pas juste. Andy, lui, n'avait rien d'autre à faire, à part rédiger des articles et des éditoriaux dont, la plupart du temps, personne ne voulait. Il avait du talent, mais faire publier des piges n'était pas facile.

Elle aurait voulu parler à quelqu'un de ce voyage. Mais à qui ? Elle n'était pas proche de ses confrères ni des mamans de l'école. À côté d'elles, elle avait l'impression d'être un monstre, alors elle débarquait à chaque événement à l'école dans sa tenue d'hôpital, comme pour leur prouver que ses nombreuses absences étaient justifiées. Sa propre mère donnait raison à Andy, alors que son mari avait passé toute sa vie à l'hôpital – mais comme c'était un homme, on lui pardonnait. Sa sœur était encore plus virulente dans ses reproches. Elle avait commencé une brillante carrière d'avocate en droit de la famille et avait tout abandonné pendant sa première grossesse. Depuis, elle avait eu trois enfants et passait son temps à enfiler des colliers de perles, à fabriquer des décorations de Noël en papier mâché, à construire la plus belle maison en pain d'épices pour la fête de l'école et à faire le taxi pour emmener ses filles aux cours de danse. Elle estimait que Stephanie avait tort de maintenir un tel rythme de travail. Elle lui avait récemment soufflé qu'il était grand temps d'inscrire Aden dans un club de foot, dans une équipe de baseball et chez les scouts. Stephanie n'ayant pas le temps de gérer les recherches et les inscriptions, Andy avait promis de le faire mais ne s'y était pas encore attelé. Nicole, quant à elle, n'avait rien de mieux à faire.

Elle avait l'impression que toute sa famille n'était qu'un immense générateur de culpabilité, dont elle était la cible principale. Son père jugeait qu'il était temps qu'elle fasse un troisième enfant et lui prédisait une chute de la fertilité maintenant qu'elle avait passé le cap des 35 ans. Mais un troisième enfant était la dernière préoccupation de Stephanie. Les grossesses étaient révolues pour elle, et elle en était bien contente. Elle aimait ses deux fils de tout son cœur mais ne pouvait pas jongler avec plus. Andy en aurait voulu quatre, mais Stephanie connaissait ses limites. La solution de sa sœur, quel que soit le problème, était toujours de démissionner. Alors elle n'osait même pas imaginer ce que lui dirait Nicole si elle lui parlait de son projet de partir un mois à Paris.

Quelques jours plus tard, le chef de service qui l'avait recommandée la félicita pour son départ à Paris.

— Vous avez de la chance d'avoir un mari qui garde les enfants pendant votre absence, dit-il avec assurance.

Le regard de Stephanie s'assombrit, mais elle ne releva pas.

— C'est un type bien, ajouta le chef de service.

— Oui, c'est sûr, concéda doucement Stephanie. Mais je culpabilise quand même un peu. Un mois loin de mes enfants, c'est long.

— Vous ne verrez pas le temps passer, croyez-moi, vous serez bien trop occupée. Vous allez nous revenir avec une manne d'informations inestimables sur l'organisation de campagnes de santé publique, la préparation en cas de catastrophe et la gestion d'événements impliquant de nombreuses victimes. Les Français en ont bavé ces dernières années et en ont probablement tiré beaucoup de leçons.

Contrairement à d'autres villes des États-Unis, San Francisco n'avait jamais connu d'attentats terroristes, mais désormais plus aucun endroit du monde n'était à l'abri. Toutes les agences gouvernementales cherchaient à empêcher les tragédies qui frappaient les campus universitaires et les centres-villes.

— Je suis très fier de vous voir partir, déclara son chef de service en lui tapotant l'épaule.

Après son départ, elle prit conscience que ce voyage ne représentait pas seulement une chance pour elle d'aller à Paris. On lui confiait la responsabilité d'acquérir de nouvelles connaissances qui bénéficieraient aux patients, et qu'elle transmettrait à ses confrères. Elle était l'ambassadrice d'une mission importante. En chemin vers la maison ce soir-là, elle prit sa décision. Elle partirait à Paris, qu'Andy le comprenne ou non.

Elle le lui annonça après le dîner, quand les garçons furent couchés, et il se contenta de hocher la tête sans faire de commentaire. Il monta prendre une douche peu de temps après et alla directement se coucher. Les semaines qui suivirent, il lui adressa à peine la parole et, à chaque fois qu'il posait les yeux sur elle, Stephanie avait l'impression d'être une mère indigne. Mais elle avait pris sa décision et s'y tiendrait. Dans cinq ans, les enfants n'auraient aucun souvenir de cette absence. Ce n'était pas un mois qui allait les traumatiser à vie. Ils avaient 4 et 6 ans, elle allait leur manquer, certes, mais ils oublieraient tout à son retour. Andy, en revanche, s'en souviendrait longtemps.

Elle l'annonça aux garçons peu avant le départ et promit de les appeler tous les jours. Ryan pleura le temps de l'explication, et Aden eut l'air triste un instant, avant de dire d'accord et de retourner au château fort en Lego qu'il construisait avec son père. Andy la regardait à peine depuis qu'elle avait décidé de partir. Il n'y faisait jamais référence et ne lui avait même pas demandé la date exacte du départ. Ce choix avait anéanti toute communication en dehors du strict nécessaire concernant les enfants. La romance et le désir s'étaient éteints depuis des mois déjà, si bien que rien ne changeait de ce côté.

Sa sœur trouvait sa décision scandaleuse. Sa mère ne lui avait pas fait de commentaire en face pour rester en dehors du conflit, mais elle avait confié à Nicole qu'il s'agissait d'une erreur monumentale. La mère d'Andy avait dit à son fils qu'elle était désolée qu'il ait épousé une femme si égoïste et si peu soucieuse du bien-être de sa famille. Stephanie savait qu'elle n'avait pas le beau rôle en quittant la maison, même pour une raison si honorable. Elle espérait qu'elle n'était pas en train de commettre une erreur fatale qui briserait son couple au-delà du réparable. Mais quoi qu'il en soit, elle allait partir et ferait de son mieux pour recoller les morceaux à son retour.

Wendy aborda le sujet de son voyage à Paris avec Jeff le mercredi qui suivit l'invitation. Elle attendit qu'il ait fini le repas qu'elle lui avait préparé et servi à la lueur des chandelles sur une nappe en lin blanc. Elle sortait toujours le grand jeu pour leurs soirées et achetait une bonne bouteille de vin puisqu'il n'était en général pas d'astreinte. Elle amena le sujet avec prudence, craignant qu'il n'objecte à une absence si longue. Elle s'attendait à ce qu'il soit un minimum contrarié.

Ses yeux s'illuminèrent au moment où elle lui parla du programme d'échange, et il la gratifia d'un large sourire en posant une main sur celle de Wendy.

— C'est génial ! Je suis fier de toi ! Quelle merveilleuse opportunité ! Et Paris... tu vas tellement t'amuser là-bas !

Il était parti du principe qu'elle avait accepté, sans déceler le doute dans son regard ni dans sa voix.

— J'hésite encore... Si ça t'ennuie, je me disais que je pouvais peut-être ne faire qu'une partie du voyage, une semaine ou deux par exemple, et ne pas rester jusqu'au bout.

C'était un compromis auquel elle avait réfléchi pendant la semaine, sans consulter l'administration pour savoir si c'était réalisable.

— Pourquoi tu ferais ça ? Si le programme est prévu pour un mois entier, tu devrais en profiter à fond. Pourquoi revenir à San Francisco alors qu'on te propose Paris ?

Il semblait enthousiaste pour elle, et pas le moins du monde contrarié.

— Je n'aime pas l'idée de t'abandonner pendant un mois, avança-t-elle avec prudence.

Elle se garda de lui expliquer pourquoi, à savoir qu'elle ne voulait pas le laisser à sa femme si longtemps.

— Je serai moi aussi absent une bonne partie du temps, de toute façon, annonça-t-il l'air de rien.

Wendy lui lança un regard interrogateur. C'était la première fois qu'il y faisait allusion. Il lui sourit, l'air détendu.

— Les enfants seront en vacances d'hiver, et on les emmène à Aspen avec Jane. Ils adorent skier.

Wendy savait que lui aussi était un adepte des sports de montagne, mais ce n'était pas le ski qui la préoccupait. Elle n'en revenait pas qu'il les emmène encore en vacances, avec sa femme qui plus est ! Ils partaient en famille plusieurs fois par an. Il avait même emmené son épouse en voyage à l'occasion d'un séminaire l'an passé. Jeff s'était justifié en disant que c'était l'occasion pour sa femme de découvrir Miami. Mais Wendy n'était pas dupe. Aspen était une station de ski très prisée, et ils allaient certainement en profiter. Elle n'aimait pas du tout cette idée.

— Tu pars quand ? lui demanda Jeff.

— Dans un peu moins de deux semaines.

— C'est parfait. On décolle à Aspen la semaine suivante, et on y reste quinze jours, ça veut dire que tu rentres une semaine après nous. Ça tombe pile-poil. On sera tous les deux tellement occupés qu'on n'aura pas le temps de se manquer pendant ton voyage.

Lui peut-être, mais les choses seraient bien différentes pour Wendy. Elle se languissait de Jeff chaque jour, et l'imaginer en vacances avec sa femme était une véritable torture.

— Alors ça ne te dérange pas ?

Elle voulait qu'il lui dise qu'elle lui manquerait pendant son absence, mais c'était peine perdue. Au contraire, il semblait très heureux pour elle et la félicita de nouveau en finissant la bouteille de vin.

— J'ai hâte que tu me racontes tout ça à ton retour.

Il était très à l'aise et pas le moins du monde inquiet.

— Je t'enverrai des messages de Paris, promit-elle.

Il eut l'air d'hésiter un instant.

— Uniquement sur mes heures de service, alors. Méfie-toi avec le décalage horaire. Et tu ne pourras pas me joindre quand je serai à Aspen, Jane sera tout le temps dans les parages.

Wendy avait envie de pleurer tant elle se sentait anecdotique dans la vie de Jeff. Un simple passe-temps. Une distraction de longue durée, certes, mais pas davantage. Le piment de son mercredi soir, tandis que sa femme restait le plat de résistance. La réalité la frappait de plein fouet. Jeff se fichait de ne pas voir Wendy pendant un mois et, plutôt que de chercher un moyen de rester en contact à distance, il refusait qu'elle lui envoie des messages quand il serait en vacances avec sa femme et ses enfants. C'était un rappel brutal que Wendy ne jouait aucun rôle dans sa vie.

À présent, elle craignait plus encore qu'il ne se détache d'elle et se rapproche de sa femme pendant qu'elle serait en France. Leur relation était toxique et minait l'estime qu'elle avait d'elle-même. Elle n'avait même plus envie d'aller à Paris maintenant. Mais en renonçant, elle aurait eu l'air pathétique aux yeux de Jeff, comme à ceux de son chef de service. Le moral dans les chaussettes, elle l'écouta parler de Paris et lui recommander des restaurants, alors que tout ce qu'elle voulait, c'était rester ici auprès de lui. De toute façon, elle aurait été malheureuse comme les pierres en attendant son retour d'Aspen.

Il était de plus en plus évident que leur liaison ne comptait pas beaucoup pour Jeff. Il savourait leurs mercredis soir et appréciait sa compagnie, mais il pouvait très bien se passer d'elle pendant un mois, alors que l'inverse n'était pas vrai. Pourtant, à chaque fois qu'elle avait remis en question leur relation au cours des dernières années et qu'elle avait essayé de s'en défaire, il l'avait persuadée de rester. N'était-elle qu'un agrément pour lui ? Du sexe disponible sans effort ? L'aimait-il vraiment ? Quand bien même il aurait eu des sentiments, leur relation était coincée dans une impasse. Dans six ans, il partirait toujours en vacances avec sa femme. Wendy n'avait d'avenir auprès de lui qu'en restant sa maîtresse, ce qui était précisément ce qu'elle n'avait jamais voulu être. Chaque année, elle renonçait un peu plus à ses chances d'être mère. Aussi beau, séduisant et brillant que soit son amant, c'était cher payé pour du sexe hebdomadaire.

Le lendemain matin, Jeff déposa un léger baiser sur ses lèvres avant de partir et la remercia pour la soirée somptueuse, le repas copieux et le vin délicieux. Sa main s'attarda sur la courbe de ses fesses quand il lui dit qu'il reviendrait peut-être dans la semaine, s'il avait le temps de passer, ne doutant pas qu'elle se rendrait disponible pour lui, comme toujours. Il ne leur restait plus qu'un mercredi avant son départ pour la France, et Wendy s'en voulait de lui rendre la vie si facile.

Ce matin-là, elle annonça au directeur de l'hôpital qu'elle partirait à Paris pour représenter le service traumatologie de la clinique de Stanford, puis elle regagna son bureau le cœur lourd.

5

Le dimanche de leur départ, les quatre traumatologues de San Francisco avaient pour instruction de se retrouver devant le Starbucks du terminal international de l'aéroport, un fois passés les contrôles de sécurité.

Bill Browning fut le premier à arriver. C'était un lève-tôt, toujours ponctuel, et il en profita pour appeler Alex et Pip. C'était la fin de journée en Angleterre, et elles venaient de rentrer du parc. Dans cinq jours, il serait auprès d'elles. Il avait hâte, et ses filles semblaient tout aussi enthousiastes. Athena avait accepté de les lui confier quatre week-ends d'affilée, et même de les laisser aller une fois à Paris, pendant qu'elle profiterait de quelques jours en Espagne avec Rupert. Depuis qu'elle s'était remariée, ils ne se faisaient plus la guerre. Bill était un père responsable et aimant, si bien qu'elle n'avait aucune objection à le voir passer du temps avec ses filles. C'était presque comme si leur mariage n'avait jamais existé. Ils n'avaient plus rien en commun, à part leurs enfants.

Bill commanda un grand cappuccino et resta planté devant le Starbucks en guettant la foule. Il avait cherché des photos de ses confrères et consœurs sur Google. Leurs CV étaient impressionnants : tous étaient diplômés des meilleures écoles de médecine et avaient été internes dans les hôpitaux les plus réputés. Ils avaient des renommées, des compétences et des postes comparables. Il n'y avait pas un seul maillon faible dans l'équipe. Âgée de 35 ans, Stephanie était la plus jeune ; le plus vieux était Tom Wylie, avec ses 43 ans. Bill n'avait trouvé aucune information sur leurs situations familiales et cela ne lui importait guère – même s'il n'avait pu s'empêcher de remarquer combien Stephanie était jolie, avec ses longs cheveux blonds et ses grands yeux bleus, son sourire à l'américaine avec ses dents blanches parfaitement alignées. C'était le genre de femme qui plaisait à tout le monde, couronnée d'un diplôme de médecine.

Sur sa photo, Wendy Jones semblait minuscule mais, brune aux yeux bleus, elle exhalait une sensualité ardente. Sa beauté était frappante, pourtant Bill lui trouvait un regard triste. On aurait dit qu'elle portait tout le poids du monde sur ses épaules. Elle était sortie major de sa promo à Harvard, ce qui était impressionnant. Après analyse de sa photo et de sa biographie, Bill en avait conclu qu'elle devait être une de ces médecins qui se prenaient très au sérieux. Il avait été interne à Stanford, où elle travaillait à présent, ce qui leur faisait un point commun.

Wendy arriva moins de cinq minutes après Bill. Elle ne le remarqua pas tout de suite et continua de balayer le terminal du regard en sirotant un latte écrémé vanille-cannelle. Leurs regards finirent par se croiser, et Bill lui sourit.

Elle était aussi menue qu'il se l'était imaginé mais faisait plus jeune que ses 37 ans. Ses cheveux longs étaient relevés en queue-de-cheval. Elle portait un jean, un pull noir, une parka, et à l'épaule un cabas débordant de revues médicales. Il y avait onze heures jusqu'à Paris, alors elle avait aussi embarqué son ordinateur portable, pour ne pas perdre son temps à rêvasser. Bill non plus n'aimait pas l'oisiveté, mais il avait plutôt prévu de regarder un film et de rattraper son retard de sommeil. Cela faisait deux nuits de suite qu'il était de garde, et il n'avait pas pris la peine de se raser pour le voyage. Sa tenue était presque identique à celle de Wendy : jean, gros pull noir, doudoune noire et baskets. On aurait dit des jumeaux qui se saluaient chaleureusement.

— Super excitant ce voyage, pas vrai ? dit-il en serrant les mains autour de son cappuccino, une étincelle dans le regard. J'ai vraiment hâte d'y être. Mes filles vivent à Londres, alors en plus c'est l'occasion de les retrouver avant l'été. Je leur ai promis de les emmener à Disneyland quand elles viendront me voir à Paris.

Ils bavardèrent avec naturel en attendant l'arrivée des deux autres.

— J'ai commencé à me renseigner sur l'organisation de la sécurité civile en France, ajouta-t-il. C'est terriblement complexe. Tout est divisé en zones géographiques, au niveau local, départemental et national. L'ensemble relève du ministère de l'Intérieur. Notre répartition est bien plus simple.

Elle hocha la tête. Elle aussi avait fait ses recherches.

Stephanie avait eu du mal à laisser les garçons. Jusque-là, la perspective de son voyage ne les avait pas perturbés, mais Andy semblait si contrarié qu'ils avaient compris le message et s'étaient mis à pleurer avant même qu'elle ne franchisse le seuil. Elle avait passé dix minutes à les consoler, alors qu'elle était déjà en retard pour retrouver ses confrères à l'aéroport. Andy lui avait à peine adressé la parole depuis qu'elle lui avait annoncé sa décision, et il lui avait dit au revoir d'un ton glacial quand elle avait voulu le serrer dans ses bras. Il ne l'avait pas embrassée et s'était contenté de rester planté devant la porte, impassible, flanqué de ses deux enfants en larmes. Il ne fit rien pour faciliter le départ de Stephanie et attendit qu'elle soit partie pour consoler ses fils. Il voulait que sa femme voie ce qui se passait quand on abandonnait sa famille pour vadrouiller en France pendant un mois. Elle avait, en vain, tenté de le raisonner de nouveau avant son départ.

— Je ne pars pas danser aux Folies Bergère, enfin ! J'ai été désignée pour une mission professionnelle avec une équipe de médecins.

— Tu auras tout le temps d'accepter ce genre de projets quand les enfants seront à l'université, avait-il rétorqué avec sévérité.

Il ne lui pardonnait pas sa décision et ne s'en cachait pas. Stephanie se demandait s'il s'adoucirait un jour mais, jugeant sa position exagérée, elle refusait d'entrer dans son jeu et de poursuivre cette discussion. Le week-end suivant son départ, il avait l'intention d'emmener les garçons au lac Tahoe pour les inscrire à un cours de ski. Elle regrettait déjà de ne pas partir avec eux, mais il fallait être réaliste : elle aurait probablement été d'astreinte de toute façon.

Stephanie rejoignit ses collègues avec quinze minutes de retard. Elle fila à travers l'aéroport, ses longs cheveux blonds voltigeant dans son dos. Elle portait des baskets, un jean, un pull rose et une veste en fourrure qu'elle avait emportée en cas de dîner dans un restaurant chic et qu'elle craignait de laisser en soute – au lieu de quoi elle avait plié sa parka dans sa valise. À bout de souffle, elle repéra Wendy et Bill devant le Starbucks et les reconnut immédiatement.

— Je suis vraiment désolée, souffla-t-elle, de toute évidence stressée. Mes enfants pleuraient quand je suis partie et j'ai failli oublier mon iPad.

Bill l'interrogea sur ses enfants et raconta qu'il avait lui-même deux filles à Londres, un peu plus âgées qu'Aden et Ryan. Ils avaient maintenant un sujet de conversation.

L'embarquement pour leur vol fut annoncé, et ils se dirigèrent lentement vers la porte, supposant que le dernier retardataire les rejoindrait dans l'avion. Ils étaient pressés de s'installer confortablement pour le long voyage qui les attendait. Pile au moment où ils tendaient leur carte d'embarquement à l'agent de la compagnie aérienne, Tom Wylie se matérialisa. Il était aussi blond que Stephanie et, comme elle, il était grand et mince, avec des jambes interminables – on les aurait crus frère et sœur. Il portait un col roulé bleu marine, un jean, un manteau long et des mocassins en daim noir qui lui conféraient une allure sophistiquée.

— Panne de réveil, désolé, dit-il avec un sourire. La nuit a été courte.

Bill compatit.

— Tu étais de garde ?

Tom s'esclaffa.

— Pas exactement. J'avais de la compagnie. Une nouvelle infirmière fraîchement débarquée aux urgences, précisa-t-il sur le ton de la confidence.

Il avait l'air si malicieux que Bill éclata de rire, tout en suivant Stephanie et Wendy dans l'avion. Ils étaient répartis par paire de part et d'autre de l'allée centrale, les deux hommes d'un côté et les deux femmes de l'autre. La conversation fusait déjà, avant même le décollage. Tom demanda à Bill s'il était marié et, apprenant qu'il était divorcé, il fut ravi de pouvoir partager avec lui ses recommandations de boîtes de nuit. Bill s'esclaffa.

— Ce n'est pas vraiment mon truc. Je suis un couche-tôt et je me lève aux aurores. Et les week-ends, je vais les passer avec mes filles.

— Ah non, je ne veux pas entendre parler de se coucher tôt à Paris ! protesta Tom avec autorité, provoquant de nouveau l'hilarité de Bill.

De toute évidence, Tom avait prévu une vie nocturne endiablée pendant le séjour. Il comptait profiter de chaque instant.

— Peut-être qu'un des Français t'accompagnera pour sortir, suggéra Bill.

Ils devaient rencontrer leurs homologues français deux jours plus tard et, pour l'instant, ne savaient rien d'eux. Le DEM à San Francisco était bien plus organisé que l'administration française en matière de communication. Ils avaient reçu le programme des réunions de la première journée et la liste des participants, mais la suite était entre les mains des services français.

On leur avait également transmis les informations relatives au logement. Tous séjourneraient dans un immeuble du VIe arrondissement divisé en studios. De nombreux immeubles d'habitation de plus de 200 ans avaient été récemment rachetés par l'État pour en faire des bureaux ou des logements temporaires.

Pendant que les deux femmes faisaient plus ample connaissance, les hommes comparaient les différents protocoles de sécurité dans leurs hôpitaux respectifs. Tom était choqué par ce qu'il apprenait de l'hôpital SF General et du nombre de fusillades qui avaient lieu dans l'enceinte même de l'hôpital. Un étudiant en médecine avait été légèrement blessé par une balle perdue. Pourtant, Bill n'avait que du positif à raconter de son travail là-bas. Il disait que les nouveaux bâtiments étaient incroyables et que la diversité des patients, inévitable dans un établissement public, était une bénédiction pour le personnel médical, qui en apprenait chaque jour davantage.

— Alta Bates Summit est bien plus policé, mais pas aussi trépidant, dit Tom.

Ils parlèrent du récent incendie et de l'attentat parisien. Bill et Tom acceptèrent un mini sandwich pour le petit déjeuner, et une hôtesse de l'air leur servit du café.

— Tu as des enfants ? demanda Stephanie à Wendy.

Cette dernière secoua la tête avec regret.

— Je ne suis pas mariée. Et c'est un peu tard pour ça maintenant, même si je vois bien que beaucoup de mes amies ont leur premier bébé à 40 ans.

En effet, l'horloge biologique se faisait de plus en plus pressante – la faute à son statut de maîtresse d'un homme marié, qui s'éternisait depuis six ans. Plus jeune, elle avait voulu des enfants, mais elle commençait à penser que cela n'arriverait jamais. De toute façon, elle ne voulait pas d'un bébé avec Jeff tant qu'il restait avec sa femme – lui non plus d'ailleurs, et il prenait bien garde à ce que cela n'arrive pas. Ce serait une calamité, et il avait été très clair : en cas d'accident, il voulait qu'elle avorte.

— Un petit ami ? s'aventura Stephanie.

Elles allaient se voir tous les jours, alors autant en apprendre plus sur elle.

— Plus ou moins.

Stephanie en déduisit que la relation n'était pas idéale.

— On se voit une fois par semaine, précisa Wendy. On est tous les deux très occupés. Il est chirurgien cardiaque à Stanford.

— D'une certaine manière, ça doit faciliter les choses. Au moins, il comprend la pression du boulot. Mon mari est journaliste indépendant et il se vexe à chaque fois que je dois travailler de nuit. On passe notre temps à se disputer au sujet du temps que j'accorde aux enfants. Il travaille à la maison, alors il est très présent. Je culpabilise en permanence. Les garçons pleuraient quand je suis partie ce matin. C'est terrible d'être sans cesse tiraillée entre sa famille et sa carrière. J'ai l'impression de ne jamais me consacrer assez aux deux et qu'il y a toujours quelqu'un pour me le reprocher. Si j'avais su, j'aurais attendu avant de faire des enfants. Tes amies qui commencent à 40 ans sont bien plus malignes. J'étais encore interne quand j'ai eu le premier. Depuis, c'est la folie. J'espère juste que j'aurai encore un mari en revenant de ce voyage. Il n'était vraiment pas ravi de me voir partir un mois à Paris. Et ton copain, il en pense quoi ?

— Il trouve que c'est une excellente idée.

Wendy appréciait déjà Stephanie, qui lui sembla d'emblée amicale et franche.

— Un peu trop à mon goût, à vrai dire, concéda-t-elle. Il part skier pendant deux semaines. Ça me fait bizarre de me dire que je ne vais pas le voir pendant un mois, mais on ne passe déjà pas beaucoup de temps ensemble, de toute façon. Il est spécialisé dans les transplantations et travaille encore plus que moi.

— Je n'en reviens toujours pas de la chance d'avoir été sélectionnée pour ce programme. Je trouve fascinant d'avoir une perspective étrangère sur les protocoles. Tu parles français ?

— J'en ai fait au lycée, mais j'ai tout oublié. Je ne suis pas sûre de pouvoir m'en sortir au-delà de « bonjour ».

— J'ai fait espagnol, alors tu te débrouilleras certainement mieux que moi. De toute façon, je pense que tous les médecins parleront anglais. Enfin, j'espère.

On aurait dit deux jeunes étudiantes échangeant leurs impressions avant la rentrée universitaire.

Après le décollage, Wendy sortit son ordinateur pour travailler, et Stephanie lança un film. Les hommes prirent tranquillement leur petit déjeuner et bavardèrent un long moment avant de s'installer devant l'écran, eux aussi. Ils finirent tous par s'endormir. Ils eurent droit à un autre repas, puis ils collèrent le nez au hublot au moment de survoler la région parisienne en cette journée d'hiver glaciale, avant d'atterrir à Charles-de-Gaulle à 6 heures du matin. On était lundi. Il était 7 heures quand ils quittèrent l'aéroport avec leurs valises et gagnèrent la navette qui les attendait pour les acheminer jusqu'à la capitale sous le soleil levant. Après leur somme dans l'avion, ils étaient parfaitement réveillés. Stephanie envoya un message à Andy pour le prévenir qu'elle était bien arrivée, mais il ne répondit pas. Il était 22 heures à San Francisco, et elle se doutait que les garçons et lui étaient déjà au lit.

Le chauffeur fit quelques détours pour leur faire visiter la ville. Sur les Champs-Élysées, ils virent des barricades encore en place là où les bombes avaient explosé et des CRS et des militaires armés en patrouille. Ils traversèrent le pont Alexandre-III pour rejoindre la rive gauche et aperçurent les bateaux-mouches à quai sur la seine, ce qui rappela à Bill qu'il avait prévu d'emmener ses filles à bord de l'un d'eux pour découvrir Paris. Ils empruntèrent le boulevard Saint-Germain et finirent par arriver rue du Cherche-Midi, l'adresse qui leur avait été donnée. Un concierge balayait le trottoir devant la porte de l'immeuble.

Le vieil ascenseur avait l'air d'une cage à oiseaux tout juste assez grande pour accueillir deux personnes. Leurs appartements étaient tous sur le même palier au troisième étage. Ils décidèrent d'emprunter l'escalier abrupt plutôt que de se risquer à prendre l'ascenseur.

En ouvrant chacun une porte, ils découvrirent les vestiges de pièces certainement splendides à une époque, maintenant découpées en studios minuscules. Les logements étaient quasiment identiques, avec des parquets d'origine. Wendy avait une petite cheminée en marbre, des moulures magnifiques sur un des murs et de grandes fenêtres élégantes. Chaque studio était composé d'une petite pièce à vivre, d'une salle de bains étriquée avec une baignoire à l'ancienne, une toilette, un lavabo et un bidet, et d'une kitchenette dotée de plaques de cuisson à deux brûleurs, d'un mini-réfrigérateur, d'un évier, d'un four d'appoint et d'une petite table pliable fixée au mur comme une planche à repasser. On aurait dit des logements d'étudiants. La vue donnait sur les rues de Paris, et l'on apercevait la tour Eiffel au loin, qui avait échappé à la récente tentative d'attentat. Cible d'attaques depuis plusieurs années déjà, Paris restait une ville soudée. Wendy repéra des drapeaux français suspendus à plusieurs balcons dans leur rue.

Les médecins se séparèrent le temps de déballer leurs valises, de s'aménager un bureau et de préparer leurs affaires pour les réunions du lendemain. Tous voulaient explorer le quartier, faire quelques courses et repérer des restaurants où dîner. Ils décidèrent de se retrouver ce soir-là au Café de Flore – un des plus vieux bistros parisiens, autrefois fréquenté par de célèbres écrivains.

Wendy et Stephanie décidèrent de se rejoindre quelques heures plus tôt pour se promener. Bill avait des mails à traiter et voulait profiter de l'après-midi pour appeler ses filles. Tom avait pour objectif de repérer les bars où il comptait sortir après le dîner dans l'espoir de draguer des Parisiennes. Il n'avait pas caché ses ambitions nocturnes et ne désespérait pas de recruter Bill comme acolyte, même si pour l'instant ce dernier lui résistait encore. Quand Tom avait une idée en tête, il n'en démordait pas. Dans sa hâte de mettre ses compétences en pratique, il gardait un carnet de phrases d'accroche dans sa poche et avait téléchargé une application sur son téléphone lui permettant de traduire instantanément toutes ses répliques de dragueur. Néanmoins, il n'était jamais irrespectueux, et Wendy et Stephanie le trouvaient très drôle – tant qu'il ne jetait pas son dévolu sur elles. Il n'était pas agaçant, simplement exubérant, comme un collégien ou un étudiant débarrassé de la surveillance parentale pour la première fois. Il avait été ainsi toute sa vie.

Les deux femmes achetèrent du fromage, de la charcuterie, une baguette et des fruits dans une épicerie de proximité, ainsi qu'une bouteille de vin pour chacun d'eux quatre. Puis elles regagnèrent tranquillement l'immeuble, où ils avaient tous rendez-vous à 20 heures. Ils savourèrent un dîner délicieux au Café de Flore et se racontèrent leur journée passée à explorer le charmant quartier Saint-Germain. Les rues grouillaient de commerces, de monde, de bars, de restaurants, regorgeaient de galeries d'art et de trésors à découvrir.

Ils rentrèrent à 23 heures, même Tom qui, exténué, décida de reporter au lendemain sa conquête des Parisiennes. On devait venir les chercher à 9 heures pour les emmener dans les bureaux des services de gestion des situations de crise, pour une journée de réunions lors de laquelle ils feraient connaissance avec leurs homologues français.

Stephanie appela Andy, mais il ne décrocha pas. Il était 15 heures à San Francisco, il était probablement occupé avec les garçons. Elle lui envoya un message pour l'informer qu'elle rappellerait plus tard et s'endormit aussitôt. Les autres dormaient déjà profondément. Les quatre Américains étaient ravis de leur première journée et avaient hâte de découvrir ce que le reste du séjour leur réservait. Une amitié naissait entre eux, et ils avaient l'impression de redevenir des étudiants prêts pour l'aventure, curieux de voir de quoi demain serait fait.

6

La navette les récupéra à l'heure et, malgré la circulation chargée, le trajet leur permit de découvrir de
nouvelles facettes de la ville. Ils se rendaient dans le
XVIIIe arrondissement, au quartier général du COZ, le
centre opérationnel de zone, responsable du CODIS,
le centre opérationnel départemental d'incendie et de
secours. Le tout était sous tutelle du ministère de
l'Intérieur. L'organigramme n'avait rien à voir avec
son pendant américain.

Une dizaine de personnes les attendaient. Les quatre
Américains se sentaient tels de nouveaux élèves un
jour de rentrée et, s'ils supposaient que leurs homologues parlaient anglais, ils n'en avaient en réalité pas
la certitude.

Les locaux qui accueillaient le séminaire étaient amé-
nagés dans ce qui ressemblait à un ancien immeuble
d'habitation, paré de lustres de cristal, d'escaliers de
marbre, de cheminées d'époque et d'une immense
salle de réception. Après les poignées de main de
rigueur, on les conduisit dans une grande salle de
réunion où trônait une très longue table, autour de

laquelle ils s'installèrent. À chaque place était disposé un emploi du temps pour la première semaine, des articles en anglais sur les récents attentats terroristes et de la documentation sur les organismes. Il y avait également une brève description des plus gros hôpitaux de la ville, que le groupe devait visiter bientôt : la Pitié Salpêtrière, Pompidou, Cochin, l'Hôtel-Dieu et l'hôpital Necker pour les enfants malades. Certains établissements semblaient comparables à ceux de San Francisco, en particulier à l'hôpital SF General, où travaillait Bill. Le tout, imprimé en anglais, était très complet et d'une grande clarté. En outre, un organigramme présentait les différents acteurs des services de secours français : le ministre de l'Intérieur, le COZ, le CODIS, le SAMU, le COGIC (le centre opérationnel de la gestion interministérielle des crises), les maires et la police.

Bill, Stephanie, Tom et Wendy se présentèrent chacun leur tour. Le représentant d'une agence gouvernementale de supervision introduisit ensuite chacun de leurs homologues français en faisant état de leurs cursus et expériences professionnelles, puis leur laissa la parole. Deux jolies jeunes femmes proposaient du café, et Tom les observa attentivement, un sourire aux lèvres, avant de reporter son attention sur la femme qui s'était levée en premier.

— *My name is Marie-Laure Prunier*, dit-elle dans un excellent anglais teinté d'un accent français. Je dirige le COZ de Paris. La France est divisée en 13 zones de défense et de sécurité, dont 7 en métropole. Je relève du préfet de police. Au COZ, nous rassemblons les informations qui nous sont transmises par tous les services de secours vingt-quatre heures sur vingt-quatre et sept jours sur sept. J'ai une formation de médecin, mais je n'exerce plus. Je travaille exclusivement pour le centre d'opérations de secours. Nous essayons de garantir la meilleure prise en charge médicale pour les catastrophes à venir, et à les éviter, bien sûr. Je travaille sur le terrain en collaboration étroite avec la police lorsqu'une catastrophe majeure se produit. Nous ne travaillons pas uniquement sur les attentats terroristes. Il peut s'agir d'un incendie, d'une explosion de gaz, d'un accident de train, d'un crash aérien, d'une alerte à la bombe. Si une situation de crise a lieu à Paris, nous y sommes, et c'est mon job d'y être aussi.

Elle leur adressa un sourire aimable.

— Notre spécialité est la gestion de crise. J'ai fait mes études de médecine à Paris. J'ai 33 ans, je suis divorcée et j'ai trois enfants. J'ai commencé en neurologie et en médecine urgentiste, comme vous, avant une formation complémentaire en neurochirurgie pédiatrique. En France, tous les spécialistes sont confrontés aux urgences médicales dans leur domaine, mais notre « médecine urgentiste » est comparable à votre spécialité de traumatologie. Mon travail, désormais, est d'organiser le secours d'enfants blessés, de diriger des opérations de sauvetage et même de trouver des moyens d'empêcher des attentats. J'ai participé à la mise en place du plan Orsan qui gère la réponse du système de santé en situation sanitaire exceptionnelle et chapeaute les plans Blancs de chaque hôpital. Je suis fonctionnaire de jour, et maman le soir.

Sa remarque provoqua des sourires dans l'assemblée, et elle échangea un regard chaleureux avec Stephanie. Marie-Laure avait un poste administratif, bien plus compatible avec la vie d'une femme divorcée et mère de trois enfants.

Gabriel Marchand fut le deuxième à se lever. Si ses cheveux grisonnants n'avaient pas été si longs, il aurait pu passer pour un banquier avec sa carrure puissante et ses larges épaules. Il salua les Américains avec entrain.

— Comme Marie-Laure, je suis médecin, cardiologue. Je travaille désormais pour le ministère de la Santé. Je consulte encore occasionnellement, mais c'est très rare. Je suis fonctionnaire et, comme Marie-Laure, mon rôle est d'élaborer des systèmes pour assurer la sécurité de nos concitoyens en cas de crise. J'ai 43 ans, je suis père de quatre enfants et je suis impatient de découvrir San Francisco.

Il leur adressa un sourire et se rassit. Sa prestance exhalait une forme de puissance, comme s'il avait l'habitude des postes de commandement. Il avait presque des manières militaires, et les Américains en déduisirent aussitôt qu'il était haut placé.

Vint ensuite le tour d'une grande femme svelte à la silhouette spectaculaire, aux longs cheveux blonds et au sourire éblouissant. Elle était indubitablement séduisante sans faire le moindre effort pour l'être. Elle prit la parole en anglais, avec un accent britannique qu'elle devait à ses études en Angleterre.

— Je m'appelle Valérie Florin. Je suis psychiatre. J'ai un cabinet à Paris où je consulte régulièrement. J'ai conçu le programme d'assistance aux victimes d'événements traumatiques, avec un suivi toujours en cours pour ce que vous appelleriez le stress post-traumatique. Notre prise en charge commence immédiatement après un événement violent. Nous intervenons directement sur le terrain, alors que l'événement est encore en cours, en soutien pour les victimes et leurs proches. Je travaille en étroite collaboration avec la police lors des négociations avec les preneurs d'otages. Je suis consultante auprès du COZ et l'auteure de trois livres. J'ai 42 ans, je ne suis pas mariée, et je n'ai pas d'enfants. Mes patients sont comme mes enfants, et par chance aucun d'eux ne vit avec moi.

Ses mots provoquèrent l'hilarité générale, et elle se rassit avec grâce. Nos quatre Américains n'avaient jamais vu femme plus remarquable. Elle était élégante, sexy, pleine d'aisance, calme, et française jusqu'au bout des ongles, malgré son accent britannique presque parfait. Tom Wylie la dévorait du regard et semblait à deux doigts de ramper sur la table de conférence pour se jeter sur elle. Mais Valérie l'ignorait complètement, concentrant son attention sur les autres participants, ce qui le rendait fou. Même lorsqu'elle se tournait dans sa direction, elle semblait voir à travers lui, comme s'il était invisible.

Le dernier membre de l'équipe était Paul Martin. Avec son air dégingandé et maladroit et sa masse de cheveux en bataille, on ne lui donnait pas plus de 18 ans. Il avait en réalité 34 ans, était célibataire et travaillait pour le COZ depuis un an. Médecin urgentiste et chirurgien, il avait exercé pendant trois ans en Afrique avec Médecins sans frontières. Il était rentré à Paris pour étudier la jungle des grandes villes et en apprendre plus sur les violences urbaines. Paul était plein de vie et d'enthousiasme. Il avait le zèle de la jeunesse, l'énergie, l'idéalisme, et parlait à la vitesse d'un boulet de canon tout en passant la main dans ses cheveux ébouriffés. Il semblait extrêmement intelligent et passionné par son travail.

Les autres membres de l'assemblée se présentèrent à leur tour. Ils occupaient tous des fonctions administratives au sein des différentes branches chargées des services de secours. Après ce tour de table, ils firent une pause pour que les participants puissent faire plus ample connaissance. Marie-Laure, la directrice du service, annonça une visite des urgences de plusieurs hôpitaux. Ils devaient aussi rencontrer des membres du gouvernement et de la police. Ils échangeraient avec le RAID, qui gérait les situations de prise d'otages, et participeraient à une simulation d'attentat terroriste. Les quatre semaines à venir promettaient d'être fascinantes et de ne laisser aucune place à l'ennui. Alors que tous évoluaient dans la salle au fil des rencontres, Tom Wylie se dirigea droit vers Valérie Florin, aussi surexcité qu'un écolier, ce qui sembla l'amuser.

— Docteur Wylie ? devina-t-elle.

— Je serais ravi de discuter plus longtemps avec vous, peut-être autour d'un dîner en tête à tête ?

Elle éclata de rire devant tant d'optimisme et de fascination.

— Sans façon. Mais tout le monde est cordialement invité à manger chez moi demain, à 21 heures.

Aux États-Unis, on se retrouvait à table bien plus tôt.

— Une petite soirée très informelle, sans code vestimentaire. Jean et pull feront très bien l'affaire. Je préparerai un hachis Parmentier, c'est une des rares recettes à mon répertoire.

Français comme Américains furent ravis de cette invitation. Elle leur donna son adresse rue du Bac, à deux pas de leurs logements provisoires rive gauche.

Le reste de la journée, ils furent accablés de fascicules, de rapports, de statistiques, d'articles de presse et de nombreux livres en anglais, si bien qu'ils terminèrent épuisés. Marie-Laure rentra auprès de ses enfants et Valérie se dépêcha de retrouver ses patients au cabinet. À 19 heures, la nuit était déjà tombée. Après avoir été confinés en réunion, retrouver l'air frais dehors les revivifia.

— On ne nous avait pas prévenus qu'il y aurait des devoirs, se plaignit Tom Wylie.

Ses collègues s'esclaffèrent et le taquinèrent sur ses plans de drague perturbés. Tous attendaient avec enthousiasme le dîner du lendemain chez Valérie.

Bill et Tom louèrent des Vélib' pour rentrer à l'appartement, tandis que Stephanie et Wendy s'engouffraient dans une bouche de métro pour en décrypter le plan. Elles bavardèrent sur le trajet. La journée avait été extrêmement intéressante et plus sérieuse et intense qu'elles ne l'avaient imaginée. Une fois arrivé, chacun rentra dans son propre appartement pour se détendre. Les deux hommes descendirent dîner au bistro d'en face, mais les deux femmes déclinèrent, trop fatiguées pour sortir ; Stephanie voulait se laver les cheveux et appeler ses enfants, et elle devait rester éveillée jusqu'à minuit pour attendre le créneau de la sortie d'école. Cette fois-ci, elle parvint à les avoir et leur parla une dizaine de minutes avant qu'ils ne passent le téléphone à leur père. Stephanie lui raconta tout de sa journée et les mille choses intéressantes qu'elle avait apprises. Il s'adoucit un instant et lui dit qu'elle lui manquait, puis il raccrocha. Eux aussi lui manquaient. Elle grignota un peu de fromage et de charcuterie de la veille et se servit un petit verre de vin. Être à Paris sans Andy ni les enfants la faisait se sentir très indépendante. Elle regardait la tour Eiffel scintiller par la fenêtre en sirotant son vin. Elle songeait à Marie-Laure, qu'elle voulait apprendre à connaître, et à Valérie, qu'elle trouvait fascinante.

Dans sa chambre, Wendy pensait aux hommes du groupe. Paul Martin avait un côté trublion ; quant à Gabriel, du ministère de la Santé, elle l'avait trouvé très intelligent et éloquent. Ce mois promettait d'être passionnant, et elle était ravie d'avoir fait le voyage. Ils l'étaient tous les quatre.

Le lendemain, ils participèrent à une simulation d'attentat terroriste, avec application d'un plan Blanc pour procéder au triage des victimes. Une école déserte avait été investie, des acteurs embauchés, et on y reproduisait une attaque et sa gestion. Valérie rejoua une négociation de prise d'otages, et l'armée et le RAID, présents sur place, tiraient à blanc. Même en sachant que rien de tout ça n'était réel, la situation était stressante. Bill suggéra qu'on procède à une répétition similaire à San Francisco, à l'approbation générale.

Après cela, on leur fit visiter l'hôpital Necker pour les enfants malades et on leur montra les soins qui y seraient prodigués en cas de crise, et par qui.

À la fin de la journée, ils rentrèrent se changer avant le dîner chez Valérie. Bill persuada le groupe de s'y rendre en Vélib'. L'appartement de Valérie était situé dans une aile d'un hôtel particulier au fond d'une cour privée avec un accès jardin et une vue sur la tour Eiffel. Il était décoré d'une collection d'objets ramenés de ses nombreux voyages, de magnifiques étoffes et d'un lit à baldaquin qu'elle avait fait venir d'Inde. Des coussins étaient disposés au sol en complément des sofas moelleux, et des bougies illuminaient les tables. Elle avait disposé le dîner sous forme de buffet, et les invités se servirent du délicieux Parmentier de canard relevé de fines lamelles de truffe noire, d'une salade généreuse et d'une excellente sélection de vins. Gabriel et Bill se perdirent dans une conversation des plus sérieuses sur la santé publique. Tom proposa à Valérie de l'aider à la cuisine, mais elle le renvoya rapidement vers les autres. Après sa conversation avec Bill, Gabriel s'assit près de Stephanie et se lança dans un fleuve de questions intarissable, tout en se rapprochant d'elle sur un canapé à peine assez large pour deux.

Il régnait dans l'appartement de Valérie une merveilleuse ambiance intime et chaleureuse, qui invitait à la détente et donnait envie d'y rester éternellement en bonne compagnie. Les discussions se poursuivirent et les langues se délièrent avec de plus en plus de sincérité. Stephanie confia à Gabriel que, tout en ayant conscience de l'importance de ce voyage, elle culpabilisait de laisser ses enfants si longtemps.

— Qu'en a pensé votre mari ? demanda Gabriel d'une voix douce.

Ses manières et sa carrure évoquaient la tendresse d'un ours en peluche géant, et elle pouvait facilement s'imaginer en sécurité dans ses bras.

— Il n'était pas ravi. D'ailleurs, il m'en voulait encore le jour du départ.

— Il est médecin ?

— Non, journaliste indépendant.

— C'est extrêmement difficile d'être marié avec quelqu'un qui ne pratique pas la médecine. La plupart du temps, ils ne comprennent pas ce que notre carrière exige. C'est ce qui a détruit mon mariage, à moi aussi.

— Le mien n'est pas encore détruit, rectifia-t-elle par loyauté envers Andy.

Pourtant, leur couple battait sérieusement de l'aile depuis un an, et le voyage à Paris n'était que la partie visible de l'iceberg.

— Ma femme et moi avons commencé à prendre des chemins différents il y a cinq ans. On se disputait tout le temps, au sujet des enfants, des dîners entre amis pour lesquels je n'étais jamais disponible, de ses parents. Je n'étais jamais là quand elle le voulait. En vérité, j'ai très peu de temps libre et je réserve ces rares moments à mes enfants.

Elle comprenait tout à fait la situation qu'il décrivait, et pour cause : elle vivait la même chose.

— Vous avez divorcé ?

Il avait piqué sa curiosité. Gabriel semblait être un homme si gentil, qui était passé par les mêmes difficultés qu'elle. À sa façon d'en parler, on aurait dit que son mariage était bel et bien enterré.

— Pas encore. On en a parlé plus d'une fois. L'âme de notre mariage est morte. Quant à la paperasse et à la répartition du patrimoine, ce ne sont que des détails. Cet arrangement nous convient à tous les deux.

— Ça a l'air compliqué, comme histoire, dit Stephanie avec un air réprobateur. Le divorce a le mérite d'être clair. On est mariés ou on ne l'est pas.

— Avec vous, les Américains, c'est très simple. Mais en France, l'administratif et la séparation des biens sont plus complexes. Parfois, il est juste plus facile de vivre chacun de son côté. Le reste, ce ne sont que des détails administratifs. Il n'y a pas d'urgence.

À quoi bon tant d'efforts et d'argent pour divorcer si ce n'est pas pour se remarier ?

Stephanie ne partageait pas cette façon de voir les choses.

— Ma femme et moi sommes parfaitement en phase : nous sommes libres, expliqua-t-il.

— Ça doit être une situation très embarrassante pour vos nouveaux compagnons et vos enfants.

— La plupart de leurs amis ont des parents dans le même cas que nous. Ce n'est pas inhabituel, ici.

Stephanie hocha la tête, sans bien comprendre pourtant. Jamais elle ne souhaiterait un tel « arrangement » avec Andy. Si leur mariage devait se terminer, elle voudrait divorcer. Ça lui semblait plus sain. Gabriel n'avait pas l'air particulièrement malhonnête ou retors, c'était donc sans doute une pratique à mettre sur le compte des différences culturelles. Ils évoquèrent de nombreux sujets et s'accordèrent sur la plupart. Il lui expliqua le fonctionnement du système de santé et de sécurité sociale en France, fort différent de la situation aux États-Unis, où chacun payait tout de sa poche et où les interventions chirurgicales coûtaient une véritable fortune.

Ils parlèrent ensuite de leurs enfants respectifs. Gabriel s'étant marié jeune, ses quatre enfants étaient déjà adolescents. Elle n'en revenait pas de se sentir si bien en sa compagnie, et les autres semblaient tout autant à l'aise dans le havre de paix créé par leur merveilleuse hôtesse. L'atmosphère était à son image, intime, chaleureuse et sensuelle. Tom la suivait à la

trace tel un chiot tandis qu'elle continuait de l'ignorer. De temps à autre, elle le gratifiait néanmoins
d'un sourire, et il semblait alors sur le point de se
liquéfier. À le voir si follement épris, Bill et Wendy
ne purent s'empêcher de rire. Valérie semblait légèrement amusée et le traitait comme un enfant. Ses
attitudes de Don Juan avaient fondu comme neige
au soleil.

Elle avait acheté une délicieuse tarte aux pommes
pour le dessert, qu'elle servit avec de la glace à la
vanille et du café. Personne ne songea à partir avant
1 heure du matin, et il était presque 2 heures quand ils
passèrent enfin la porte. Les invités s'en allèrent tous
en même temps, après s'être répandus en remerciements auprès de Valérie. Gabriel proposa à Stephanie
et aux autres de les raccompagner en voiture, prétextant qu'il faisait trop froid pour pédaler. Seule
Stephanie accepta. Quand la voiture s'immobilisa
devant l'immeuble rue du Cherche-Midi, il plongea
son regard dans le sien, sans un mot.

— Je n'ai jamais rencontré de femme comme toi,
Stephanie. Tu es si honnête, forte et courageuse. Je
regrette de ne pas t'avoir rencontrée plus tôt.

Stephanie sentit un frisson lui parcourir l'échine et
elle éprouva une profonde attirance pour lui – sensation qu'elle avait oubliée depuis des années. Ils avaient
tous les deux beaucoup bu, et elle se demanda si le
vin y était pour quelque chose.

— En quittant le bureau hier soir, j'étais impatient
de te revoir. Une nuit sans toi, c'était déjà trop long.

Stephanie ne savait absolument pas comment répondre à cette déclaration romantique. Elle était mariée et, contrairement à Gabriel et sa femme, elle n'avait pas « d'arrangement » avec Andy. Sans compter qu'elle ne connaissait cet homme si passionné que depuis deux jours.

— Je pense que c'est le destin qui nous a réunis.

Et si c'était vrai ?

Il porta sa main à ses lèvres pour déposer un baiser sur ses doigts, et elle sentit un frisson l'électriser. Quand elle sortit de la voiture, les autres arrivaient et garaient les vélos devant l'immeuble. Une minute plus tard, Gabriel s'éloigna non sans un dernier regard ardent.

En montant l'escalier, personne ne fit de commentaire sur les égards qu'il lui avait témoignés durant la soirée. Ses confrères ne la connaissaient pas assez pour lui dire quoi que ce soit, mais ils avaient remarqué la connivence. Une fois dans son appartement, elle se mit à rêvasser. Gabriel avait quelque chose d'extrêmement attirant. Elle tenta de refouler ces pensées et, aussitôt débarrassée de son manteau, elle appela ses enfants. Ils étaient avec l'aide-ménagère qui les avait récupérés à l'école. Cette dernière l'informa qu'Andy était sorti. Il avait un rendez-vous dont il ne lui avait pas parlé la veille.

Après son coup de fil aux garçons, ses pensées se perdirent de nouveau du côté de Gabriel, malgré elle. Arrangement conjugal ou pas, il était marié et elle aussi. Elle se le répéta plusieurs fois avant de s'endormir, mais ne put empêcher les images de la soirée de lui revenir en mémoire alors qu'elle sombrait dans le sommeil. Elle se remémora la douceur de ses lèvres sur ses doigts. Elle s'efforça de penser à Andy, mais elle en était incapable et n'en avait pas vraiment envie. Elle ne pouvait songer qu'à Gabriel, et tout ce qu'elle voulait, c'était le revoir. Le matin n'arriverait jamais assez tôt.

7

Le reste de la semaine, ils firent la tournée des hôpitaux en compagnie des plus grands experts, rencontrèrent d'autres médecins, des représentants du gouvernement, assistèrent à des conférences et à des réunions, visitèrent les différentes structures, échangèrent avec des membres de la police et du SAMU. On leur montra des vidéos des récents attentats et de leur gestion par le RAID, accompagnées d'un commentaire pointant les erreurs et les réussites.

C'était un flux d'informations constant qu'il fallait absorber et dont nos quatre Américains tâchaient de discuter avec leurs homologues français afin de comprendre au mieux le fonctionnement des institutions locales. Ils formaient une équipe efficace et apprenaient à se connaître. Leurs forces respectives dégageaient des similarités et des contrastes qui soulevaient des questions intéressantes. L'entente était parfaite entre eux. Quand la fin de la semaine arriva, tous les huit formaient un groupe soudé par une amitié naissante.

Le week-end serait chômé, car tout le monde avait besoin de repos. Toutes ces nouvelles connaissances les avaient épuisés.

Tom invita Valérie à dîner, mais elle déclina sur un ton badin qui le titilla de manière insupportable. Elle serait en consultation toute la journée de samedi et avait prévu de prendre la route dimanche pour rendre visite à sa mère en Normandie. Elle resta vague sur ses projets du samedi soir, déclarant simplement qu'elle était occupée, mais le fit avec tant de charme que Tom en perdit la tête. Obnubilé par son désir, il ne la quittait pas du regard pendant l'essentiel des réunions.

Gabriel s'asseyait toujours à côté de Stephanie et lui chuchotait à l'oreille. Loin de lui poser problème, cette proximité lui plaisait, et elle n'arrivait pas à se détacher de lui. Elle accepta de dîner en sa compagnie le vendredi soir. Valérie lui souffla une mise en garde alors qu'ils quittaient le dernier hôpital sur leur liste de visites.

— N'oublie pas qu'il est marié, et français...

Stephanie sursauta. Elle y pensait, évidemment. En dépit du magnétisme de leur attirance mutuelle et de son comportement ambigu, elle s'imaginait qu'ils pouvaient quand même devenir amis.

Au programme de Stephanie et Wendy : visite du Louvre, déjeuner au restaurant, puis shopping aux Galeries Lafayette. Un samedi parfait entre filles, l'une et l'autre ravies d'avoir trouvé une amie. Le dimanche serait plus studieux, afin de rattraper la lecture des articles qui s'étaient accumulés dans la semaine. Wendy, qui avait cessé de voir du monde ces dernières années, pour rester disponible au cas où Jeff serait passé à l'improviste, se sentait soudain libre et retrouvait la joie des sorties entre copines. Marie-Laure les avait invitées toutes les deux à prendre un café dimanche pour rencontrer ses enfants. Les deux plus jeunes avaient l'âge d'Aden et Ryan, et l'aîné avait 11 ans. Ils voyaient rarement leur père, et toutes les responsabilités reposaient sur les épaules de Marie-Laure. Son mari l'avait quittée à la naissance du petit dernier, cinq ans plus tôt, l'abandonnant avec un nouveau-né, un bambin de 3 ans et un garçonnet de 6 ans. Depuis, elle se débrouillait seule, avec l'aide de nounous, ce que Stephanie trouvait héroïque.

Bill devait attraper l'Eurostar de 18 heures le vendredi pour voir ses filles à Londres – il avait réservé deux chambres communicantes au Claridge. En partant, il croisa Wendy qui lui souhaita un bon week-end. Elle était en chemin vers l'épicerie du coin, où elle espérait faire quelques courses pour dîner au calme, épuisée après cette semaine intense. Bill était tout aussi fatigué, mais l'idée de revoir ses filles le revigorait. Il débordait de joie en montant dans le taxi pour la gare.

Tom avait convaincu Paul Martin, le jeune médecin français du COZ, de passer le chercher à 21 heures pour faire la tournée des bars qu'on lui avait conseillés. Paul avait l'énergie d'un jeune trentenaire et était partant pour tout.

Gabriel, qui vivait à Neuilly, dans un quartier résidentiel et familial aux maisons majestueuses, vint chercher Stephanie à 20 h 30 en voiture pour la conduire dans un petit restaurant à l'ambiance intimiste du VIᵉ arrondissement, où ils pourraient discuter tranquillement. Elle s'était convaincue qu'il ne s'agissait pas d'un rendez-vous galant mais d'un repas amical entre collègues, histoire d'apprendre à mieux se connaître.

Gabriel accueillait chacune de ses paroles avec chaleur, enthousiasme et encouragement, ce qui provoquait chez elle une sensation enivrante. Ils avaient la même passion pour la médecine et se comprenaient parfaitement. Impossible de ne pas être attirée par lui, qui semblait bien plus mûr qu'Andy – lequel trouvait toujours une raison de se plaindre, de bouder, de l'ignorer, de la culpabiliser, de se vexer ou de lui en vouloir. C'était fatigant. Avec son mari, elle passait son temps à se justifier, ce qui rendait tous leurs échanges rébarbatifs. Leur mariage n'était plus que lutte permanente. En comparaison, la compagnie de Gabriel était reposante. Elle tentait de résister à leur attirance mutuelle indéniable, au prix d'efforts intenses, mais Gabriel semblait follement épris. C'était un coup de cœur immense, pour elle. Depuis Andy, elle n'avait jamais rien ressenti de tel pour un homme.

Stephanie n'était pas venue à Paris pour tromper son mari. Et malgré les nuances de son discours, Gabriel restait un homme marié. Mais à la fin du dîner, les yeux dans les yeux, de part et d'autre de la table, ils se tenaient la main. Il y avait eu du vin, mais pas assez pour mettre sur le compte de l'alcool ces

111

sentiments ou leur désir partagé. À le croire, il n'avait jamais rien ressenti de si fort. Il admettait volontiers qu'il avait déjà fréquenté d'autres femmes depuis qu'il était marié mais considérait qu'il ne s'agissait pas d'infidélité puisqu'il n'y avait plus de sentiments entre sa femme et lui. En revanche, il proclamait que ces autres conquêtes ne comptaient pas à ses yeux et qu'elles étaient loin d'avoir le charme de Stephanie. Il ne pouvait la quitter du regard ni lâcher sa main et, quand ils sortirent du restaurant, il l'embrassa. Pendant un instant, elle se sentit fondre dans son étreinte. Son propre désir la surprit, car ils venaient à peine de se rencontrer. Elle avait les yeux brillants de larmes quand elle se dégagea de ses bras.

— Gabriel... on ne peut pas... Je suis mariée. Bien plus que toi. J'ai un mari et deux enfants qui m'attendent à la maison.

— Mais tu n'es pas heureuse avec lui. Tu l'as dit de mille façons différentes. Il ne te comprend pas. Il est jaloux de ton travail. Il te culpabilise. Tu es constamment tiraillée entre lui et ta carrière. Tu ne peux pas vivre éternellement ainsi. Il t'empêche d'avancer.

Ce que disait Gabriel était vrai, mais elle n'en était pas moins mariée et mère de deux petits garçons et, en un sens, elle savait qu'Andy avait raison et qu'elle ne leur consacrait pas assez de temps. Elle s'en voulait de les avoir quittés pour un mois à Paris. C'était le sempiternel dilemme entre famille et carrière. Elle voulait les deux, or la carrière était la solution de facilité pour elle. Et voilà qu'elle se retrouvait à embrasser un homme qu'elle connaissait à peine mais qui l'attirait de façon irrésistible.

— Je ne suis pas assez malheureuse pour le quitter.

Ou en tout cas, elle ne l'avait pas été jusqu'alors. Et si Gabriel avait raison ? Et si Andy n'était pas le mari qu'il lui fallait ? Et s'ils avaient évolué dans des directions incompatibles ? Leur vie ensemble lui semblait morne à présent. Sa carrière de journaliste était dans l'impasse, et elle sentait qu'Andy lui en voulait ou, du moins, qu'il était jaloux de son succès professionnel. Mais elle travaillait plus dur que lui et faisait preuve de plus d'opiniâtreté à réussir. Stephanie était plus ambitieuse, quand Andy avait une âme d'artiste. À une époque désormais révolue, c'était ce qu'elle avait trouvé charmant. Gabriel, en revanche, était un homme de pouvoir, ce qui le rendait bien plus attirant qu'Andy et ses vains rêves d'écriture. Elle se sentait coupable de raisonner ainsi. Gabriel était la tentation incarnée, à laquelle elle peinait à résister. Ça ne lui était jamais arrivé avant. Mais c'était aussi la première fois qu'elle rencontrait un homme comme lui.

— Ne passons pas à côté de ce que le destin nous offre, Stephanie. Une chance pareille ne se présente pas plus d'une fois dans une vie. Et si nous étions faits pour être ensemble ? On ne rencontre pas deux fois l'âme sœur. Si nous n'écoutons pas nos cœurs, nous risquons de le regretter pour toujours.

Il y avait plus que son cœur en jeu, et il le savait aussi. C'était une attirance physique qui l'avait submergée avec la puissance d'un tsunami. Elle était

113

venue à Paris pour le travail, pas pour se laisser séduire par un beau Français et se retrouver dans un film dont elle craignait de connaître la fin. S'abandonnant à leurs émotions risquait de causer d'immenses dégâts. Stephanie avait été raisonnable et responsable toute sa vie. Soudain, elle ne voulait plus l'être.

— Nous ne sommes pas obligés de prendre une décision, dit-il d'une voix aussi suave que la soie. Ce n'est que le tout début. Tu restes ici pour un mois, attendons de voir où ça nous mène. Nous avons le temps. Je vais à San Francisco le mois prochain. D'ici là, nous saurons plus précisément ce que nous voulons.

Ce qu'il disait semblait presque logique : mettre fin à son mariage était une décision monumentale qu'elle ne pouvait pas prendre pour un homme qu'elle connaissait à peine. Il avait raison, d'ici deux mois, ils sauraient si ce qui naissait entre eux était réel ou une simple illusion. Cette perspective était à la fois follement excitante et terrifiante. Alors qu'elle y songeait, il l'embrassa de nouveau. Il la conduisit devant chez elle, puis sortit de la voiture pour la raccompagner jusqu'à la porte de l'appartement. Il resta sur le seuil pendant un instant, effleura ses lèvres des siennes, mais ne demanda pas à entrer.

— Merci pour cette soirée, dit-elle, troublée.

De toute sa vie, elle n'avait jamais été aussi tentée de braver l'interdit.

— Je t'appelle demain, promit-il doucement en la regardant disparaître derrière la porte.

Une fois chez elle, elle s'assit sur le lit, hébétée, et laissa les larmes rouler sur ses joues. Elle ne savait pas si elle était heureuse ou triste. Andy lui manquait, ainsi que les garçons et leur bulle familiale. Mais elle rêvait des bras de Gabriel et de ses baisers. Complètement perdue, elle resta assise là, à pleurer.

Quand Bill arriva à la gare de St Pancras, il prit un taxi pour rejoindre la maison d'Athena et de Rupert sur Belgrave Square. Il demanda au chauffeur de l'attendre dans la rue et sonna à la porte. Athena le dévisagea avec surprise, comme si elle venait de voir un fantôme.

— Ah oui, c'est vrai. J'avais totalement oublié... Je pensais que tu avais dit demain matin.

Elle était plus belle que jamais, et ses cheveux blonds illuminaient son magnifique visage comme un halo. Il oubliait toujours sa beauté spectaculaire, jusqu'au moment de la revoir. Les années l'avaient à peine changée depuis leur rencontre. Elle sourit quand leurs filles dévalèrent l'escalier en poussant des cris de joie à la vue de leur père et se jetèrent dans ses bras. Bill rayonnait en les étreignant. Athena l'invita à entrer, le temps que les filles terminent de faire leur sac. Elle lui jeta un coup d'œil par-dessus son épaule, un regard qu'il ne connaissait que trop bien. C'était le regard qui lui avait poignardé le cœur des milliers de fois car, aussi belle fût-elle, Athena ne lui avait jamais été destinée. Elle lui fit signe d'attendre dans la bibliothèque et, pendant qu'elle disparaissait à l'étage, il se perdit dans la contemplation des tableaux et des ouvrages de cette demeure magnifique. Rupert l'avait gâtée. On était bien loin de la petite maison douillette de Noe Valley, et plus loin encore de son propre appartement.

Bill savait pertinemment que, bien qu'il en ait les moyens, jamais il ne lui aurait offert un foyer aussi grandiose. Ce faste lui rappelait trop l'hôtel particulier de ses parents à New York et l'appartement de son frère sur la Cinquième Avenue. Il était trop différent de sa famille pour aspirer à pareil luxe. Bill n'avait jamais eu le désir de vivre ainsi ni d'étaler sa richesse. Il adorait l'hôpital de San Francisco, les gens authentiques avec qui il travaillait et la nature qui l'entourait. Les parents d'Athena avaient raison : il n'aurait jamais été capable de la garder si longtemps et il n'était pas fait pour elle. Elle s'en était satisfaite le temps de sa phase rebelle, à 23 ans. À présent, elle était devenue tout ce à quoi ses origines la destinaient, et dont lui n'avait jamais voulu. Il n'aurait pas pu vivre ainsi, même pour elle. Cette révélation lui fit penser à toutes ces années gâchées à la regretter. Athena avait beau être splendide, s'il l'avait rencontrée telle qu'elle était maintenant, jamais il n'en serait tombé amoureux. À présent, il la regardait de façon désintéressée, comme on admire une œuvre d'art.

Cinq minutes plus tard, Athena redescendit en compagnie de Pip et d'Alex frétillantes d'enthousiasme et chargées de leurs affaires.

— Je suis désolé d'arriver si tard, dit-il alors que les filles lui couraient dans les jambes comme des chiots.

— Aucun problème, Rupert est parti chasser en Écosse ce week-end. Je dîne toujours tard. Que fais-tu à Paris ?

— Je participe à un colloque sur la gestion du terrorisme, afin de comparer les structures françaises et américaines.

Athena fit la grimace et éclata de rire. Elle n'avait jamais trouvé d'intérêt à sa spécialité. Bill se remémora la suggestion de son beau-père de lâcher la médecine pour venir travailler pour lui – une option inenvisageable, pas même pour garder sa femme.

— Ça a l'air abominable, dit-elle en s'esclaffant.

Ils se sondèrent du regard un moment, ébahis d'avoir un jour pu s'aimer au point de se marier. Sans regrets toutefois, car ils devaient à leur erreur de jeunesse la naissance de Pip et Alex.

— En réalité, c'est très intéressant. Tu détesterais, dit-il avec un rire soulagé.

Il se sentait enfin libéré de l'emprise de l'amour. Ça lui avait pris des années. Les filles avaient hâte de partir, et Athena posa sur lui le regard enchanteur qui avait longtemps fait battre son cœur. Mais il ne ressentait plus rien à présent, et c'était rassurant.

— Passez un bon week-end, dit-elle avant d'embrasser les filles.

— Compte sur moi, répondit-il avec un sourire radieux. Je te les ramène dimanche après-midi. Mon train pour Paris est à 16 heures.

Il lui avait envoyé un mail avec tous les détails de son séjour, mais il savait que l'organisation n'était pas son fort. Elle vivait sur sa propre planète.

— D'accord. Je serai sortie dimanche, alors je te dis au week-end prochain.

Elle leur fit signe tandis qu'ils se dépêchaient de sortir sur le perron. Le taxi les attendait toujours devant le trottoir. Bill jeta un dernier regard en arrière pour la voir fermer la porte. Il avait tant aimé et tant regretté cette femme. C'était un véritable soulagement de constater que ses sentiments avaient disparu, et la souffrance avec. Cette révélation lui procurait un merveilleux sentiment de libération. Passant un bras autour de ses filles, il se lança dans l'exposé du programme du week-end alors que le taxi filait en direction de l'hôtel. C'était ce genre de moment qui donnait à la vie la peine d'être vécue. Tout était parfait. En descendant du véhicule, il entra d'un pas léger dans l'hôtel. Aucune femme au monde ne pouvait le rendre aussi heureux.

Après un copieux petit déjeuner, Bill emmena Pip et Alex au Musée de la science. Il essayait de leur proposer des activités éducatives, au lieu de céder simplement à leurs envies – ce qu'il fit néanmoins quand Pip, qui adorait faire les boutiques, le supplia de les emmener chez Harrods après le déjeuner. Ils visitèrent ensuite la tour de Londres pour la dixième fois, sans perdre leur enthousiasme. Ils rentrèrent à temps pour le thé et dégustèrent des petits sandwichs au cresson, concombre et œufs brouillés, accompagnés de scones à la confiture et à la crème. Puis ils regardèrent des films dans la chambre et commandèrent des hamburgers au room-service pour le dîner.

Le dimanche, après une balade dans Hyde Park, Bill emmena ses filles dans leur pizzeria préférée et les ramena chez Athena peu après 15 heures. La nounou leur ouvrit, flanquée des jumeaux – de beaux garçons qui ressemblaient comme deux gouttes d'eau à Rupert. Les filles se jetèrent au cou de Bill pour lui faire un câlin et le remercièrent pour ce merveilleux week-end.

Il les embrassa une dernière fois et leur dit à vendredi. Il avait l'intention de les emmener au théâtre la semaine suivante et avait chargé le concierge de l'hôtel de leur trouver des places pour un spectacle qui conviendrait à leur âge.

Puisqu'il n'avait pas de pied-à-terre à Londres, il s'arrangeait pour les occuper et beaucoup sortir, imaginant toujours plus d'activités divertissantes. Cela rendait ses visites encore plus magiques. Pour leur venue en France, il avait prévu une virée à Disneyland. Il faisait pareil quand elles venaient à San Francisco, où on ne manquait pas d'activités en extérieur – balades sur la plage de Stinson Beach, petites randonnées sur le Mount Tam et excursions au lac Tahoe. Elles ne s'ennuyaient jamais avec lui. Pour Pâques, l'année précédente, il les avait emmenées à Rome et sur les gondoles de Venise. Il leur avait déjà promis d'aller voir la tour Eiffel quand elles viendraient le retrouver dans quinze jours.

Pendant tout le trajet du retour en Eurostar, il ne pensa qu'à elles. Plus les années passaient, plus elles se conformaient au modèle des petites Anglaises parfaites. Pip aimait encore dire qu'elle était à moitié américaine, mais Alex était encore trop jeune pour s'en soucier. Il était toujours triste de les quitter, mais cette fois la mélancolie était adoucie par la certitude de les voir encore trois week-ends de suite. Il avait payé un supplément auprès de la compagnie aérienne pour ajouter une escale à Londres à son billet de retour. Cette perspective rendait l'attente de leur venue pour l'été à San Francisco plus supportable.

Heureux et serein, Bill regagna l'immeuble de la rue du Cherche-Midi au moment où Wendy y garait son Vélib'. Il attendit qu'elle le rejoigne pour monter l'escalier (l'ascenseur avait été en panne toute la semaine).

— Tu as passé un bon week-end ? demanda-t-elle.

Elle le trouvait plus détendu et léger.

— Tout était parfait, dit-il, rayonnant. On n'a pas arrêté de courir tout le week-end. Elles viennent dans deux semaines, ça me ferait plaisir que tu les rencontres.

Émue par sa proposition, elle lui sourit en arrivant sur le palier.

— J'en serais ravie.

Soudain, elle eut une idée.

— J'ai acheté un poulet rôti ce matin. Ils n'en avaient que des entiers, et c'est beaucoup trop pour moi toute seule. Tu as dîné ?

— Non et, honnêtement, je meurs de faim. Je comptais redescendre au bistro après avoir déposé mes affaires. Je devais manger dans le train, mais je me suis endormi. Mes filles m'ont épuisé.

— Passe chez moi dans cinq minutes, alors. Je vais préparer le dîner.

Il l'abandonna le temps de déposer son sac et revint aussitôt. Le plat de poulet était disposé sur la petite table, ainsi que de la charcuterie, du fromage et une baguette de pain frais. Tout en assaisonnant une salade, Wendy lui dit :

— Je suis tombée en pâmoison devant l'épicerie fine du Bon Marché. C'est Valérie qui m'a conseillé d'y aller. C'est merveilleux. Je ne vais plus rentrer dans mes vêtements, à force de me nourrir de pâté et de fromage à la truffe.

— Je ne pense pas que tu aies à te préoccuper de ton poids.

Il se servit lui-même une généreuse tranche de pâté, une cuisse de poulet et de la salade. Wendy lui tendit la bouteille de vin pour qu'il la débouche. Ils s'attablèrent devant ce repas simple et délicieux qui concluait à la perfection ce week-end radieux.

— Et toi, qu'est-ce que tu as fait ? demanda-t-il.

— Je suis allée au Louvre avec Stephanie hier, et ensuite on a fait les boutiques. Et aujourd'hui j'ai visité Notre-Dame. Il y a tellement de choses à voir ici. J'ai aussi repéré une expo Picasso qui m'intéresse. Je ne fréquente jamais les musées à San Francisco. Je n'ai pas l'énergie de sortir en ville le week-end, alors je traîne chez moi, à Palo Alto.

— J'en déduis que tu vis seule ?

Il était curieux d'en apprendre plus sur elle. Il savait qu'elle n'était pas mariée et n'avait pas d'enfants, mais il ne l'imaginait pas célibataire. Elle était très séduisante et n'avait pas accordé un regard aux hommes du groupe de travail. Elle hésita à répondre.

— Pas de petit ami ? demanda-t-il.

Ç'aurait été surprenant, pour une femme si belle.

— Il y a bien quelqu'un, mais c'est compliqué. On ne se voit pas beaucoup. Je n'ai pas vraiment le temps pour ça avec le boulot. Il est chirurgien cardiaque, très occupé aussi. Et toi ?

Bill était de nature très réservée et n'avait pas partagé grand-chose de sa vie – il n'y avait que sur ses filles qu'il était intarissable.

— Je vis seul, et ça me va très bien, dit-il naturellement en se resservant du fromage et du pain. Dans notre métier, le quotidien est suffisamment chargé.

Wendy utilisait la même excuse à longueur de temps.

Soudain, il décida de parler franchement.

— Ma femme m'a quitté il y a sept ans pour rentrer en Angleterre, et elle a emmené les enfants. Ma vie s'est effondrée d'un coup, et j'ai passé beaucoup trop d'années à nourrir mon amertume et ma colère. En la revoyant vendredi, je me suis rendu compte que je ne la déteste plus. Je n'ai plus de rancœur ni de haine.

122

En la regardant, j'ai compris, pour la première fois je crois, à quel point nous étions différents. Jamais ça n'aurait pu fonctionner entre nous. J'étais simplement trop jeune pour en avoir conscience à l'époque. Elle déteste San Francisco pour toutes les raisons qui font que j'adore cette ville. Elle a fini par m'en vouloir de l'y avoir emmenée. Elle est remariée maintenant, et elle a deux autres enfants. Nous étions jeunes quand on s'est rencontrés, mais en vérité nous n'avions déjà rien en commun. C'était un moment d'égarement pour elle. Si je la rencontrais aujourd'hui, j'aurais du mal à lui faire la conversation pendant plus de cinq minutes. Elle mène le train de vie que j'ai fui en quittant New York, et nous n'avons plus rien à nous dire, à part quand il s'agit des enfants. À San Francisco, elle était comme une fleur que l'on assoiffe. Tout ce qu'elle voulait, c'était rentrer chez elle, et je l'en empêchais, si bien qu'elle me détestait de la maintenir captive. Pour la suivre en Angleterre, il aurait fallu que je renonce à la médecine. C'était ce que suggérait son père, d'ailleurs. Mais ça n'a jamais été une option viable pour moi. Je me serais noyé là-bas, je me serais ennuyé à mourir. Vraiment, j'étais dévasté quand elle est partie avec mes filles. Pendant des années, j'étais fou de colère. Mais quand je l'ai vue vendredi soir, j'ai compris que la guerre était finie. Je ne sais pas ce qui a changé, mais la pression est retombée, et avec elle toute ma rage. Je ne la connais même pas. Je ne l'ai jamais vraiment connue. C'était un sentiment libérateur et fantastique. Il faut beaucoup d'énergie pour entretenir sa rancœur. Et toute cette énergie, je peux maintenant la rediriger vers quelque chose de plus positif. Quant à elle, ça fait longtemps qu'elle est passée à autre chose. Il m'aura fallu quelques années de plus. J'aurais été terriblement malheureux en restant marié avec elle. Il m'a fallu tout ce temps pour le comprendre. Et je n'avais de place pour personne d'autre tant que je restais furieux contre elle. Il faut dire que j'ai cru en mourir quand elle est partie en m'arrachant mes filles.

— C'est drôle, fit remarquer Wendy d'un air songeur. Je crois que moi aussi, je m'accroche à une histoire qui aurait dû finir il y a bien longtemps. Je crois qu'il fallait que je fasse ce voyage pour m'en rendre compte. C'est fou le temps qu'on peut perdre à s'entêter dans son erreur. Je vais essayer de m'en occuper à mon retour. J'ai gâché six années de ma vie dans une relation qui n'a jamais eu aucune chance d'aboutir. Et je refusais de le voir.

— Il faut beaucoup de courage pour lâcher prise, dit-il.

Elle approuva. Bill était un homme raisonnable, qui avait les pieds sur terre. Wendy aimait parler avec lui et avait envie de mieux le connaître, elle qui n'avait pas laissé de place à l'amitié depuis tant d'années.

— Gabriel semble très épris de Stephanie, dit-elle. Je me demande où cette histoire va les mener.

— Dans des eaux très troubles, si elle ne prend pas garde. Ils sont tous les deux mariés. Ça me semble être un jeu dangereux... et compliqué de retour à

San Francisco. C'est facile de l'oublier quand on est si loin de chez soi et de son quotidien.

— J'aime beaucoup notre groupe. Nos homologues français aussi. Dire que j'ai pensé refuser l'invitation... Heureusement que j'ai fini par accepter.

— J'en suis ravi aussi. Pour ma part, je me suis jeté sur l'opportunité de revoir mes filles quatre week-ends de suite. À côté de ça, le colloque est très intéressant.

Ils discutèrent avec admiration des exercices mis en place par les secours.

— Je me demande ce qu'ils nous réservent cette semaine, ajouta-t-elle.

— Encore des visites d'hôpitaux, j'imagine. Comment trouves-tu Stanford ?

— J'adore. SF General doit être un environnement de travail difficile, en comparaison.

— Non, c'est parfait pour moi. Les cas que nous recevons sont passionnants et, tant que je ne prends pas une balle, tout va bien, dit-il avec malice. C'est probablement le seul centre de traumatologie où les patients se tirent dessus en plein milieu des urgences.

— Je m'en passe bien volontiers, répondit Wendy, horrifiée.

La discussion s'attarda encore un moment. Bill espérait garder contact à leur retour à San Francisco. Pas de pression, pas de séduction, pas d'intentions cachées. Simplement l'idée agréable d'entretenir une amitié féminine, pour changer. Ils évoluaient dans un monde professionnel dur, qui empiétait sur toute vie personnelle si on n'y prenait pas garde. Elle aussi semblait avoir besoin d'élargir ses horizons. C'était facile de laisser leur univers se restreindre aux murs du service de traumatologie. C'était le risque de leur profession. Ils rentraient à la maison épuisés et n'avaient plus la disponibilité émotionnelle pour quoi que ce soit d'autre. Bill s'était toujours émerveillé des médecins de son entourage qui, le soir, trouvaient encore de l'énergie à consacrer à leurs conjoints et enfants. Certains jours, lui se sentait trop vidé pour envisager la moindre interaction avec un autre être humain. Les médecins donnaient tout ce qu'ils avaient à l'hôpital, et leur famille s'en trouvait souvent lésée. Il y avait des spécialités plus faciles, certes, mais Bill s'y serait ennuyé. Ils étaient les gladiateurs de leur profession et travaillaient sous une pression constante. Un quart de seconde pouvait faire la différence quand il s'agissait de sauver la vie d'un patient. Ravi d'avoir partagé un dîner avec elle, il retourna à son appartement.

Wendy pensait à lui en faisant la vaisselle dans la minuscule kitchenette. Entre l'appartement et les conférences quotidiennes, elle avait l'impression de revenir à sa vie d'étudiante. Cet apprentissage auprès de ses homologues français était passionnant : ils découvraient de nouvelles techniques et du matériel encore inusité aux États-Unis, ainsi qu'une tout autre gestion du terrorisme et des blessés graves, en raison des risques plus présents et des catastrophes plus fréquentes.

Même si elle admirait particulièrement Valérie et sa perspective sur la dimension psychologique du monde dans lequel ils vivaient, elle s'entendait bien avec tous ses collègues au sein du programme. Elle aurait voulu pouvoir raconter tout cela à Jeff, mais le contacter était tabou.

Elle savait qu'il était en ce moment même à Aspen avec sa femme et ses enfants, et elle pensait sincèrement ce qu'elle avait dit à Bill : tout espoir d'un avenir avec Jeff avait disparu. À présent, elle comprenait qu'elle n'obtiendrait rien de plus que leurs mercredis soir fugaces. Elle s'en voulait de s'être contentée de si peu mais ignorait toujours si elle aurait le cran de le quitter. Elle avait tellement l'habitude de cette vie qui gravitait autour de lui, pendant que tout le reste était sur pause. Le savoir à Aspen avec Jane l'accablait de tristesse. Son épouse représentait tout ce que Wendy voulait et n'aurait jamais. Ici, depuis Paris, elle remettait toute leur liaison en doute.

Elle remarquait aussi que la plupart des traumatologues ne semblaient pas avoir une vie familiale très stable. Ni elle, ni Tom, ni Bill n'étaient officiellement en couple, et le mariage de Stephanie semblait fragile. Du côté des Français, la vie sentimentale de Gabriel n'était pas plus solide, et Marie-Laure, Valérie et Paul étaient célibataires. Ils se consacraient entièrement à leur travail. Au moins, Bill semblait avoir une belle relation avec ses enfants – quand il parvenait à les voir. Stephanie lui avait confié la difficulté de partager son temps entre son travail et sa famille, et l'ampleur de son sentiment de culpabilité. Wendy se demanda si, finalement, elle ne s'en portait pas mieux ainsi. Peut-être que, si elle avait été mariée à Jeff, ils n'auraient rien pu s'apporter l'un l'autre. La priorité de Jeff était son travail, et il en allait de même pour elle. Y avait-il encore de la place pour une relation ou un conjoint ? Peut-être pas assez.

C'était un concept qu'elle voulait explorer avec les autres. Ils étaient tous des battants dans un monde froid et solitaire, luttant pour chaque vie qu'ils sauvaient, plus encore que dans les autres branches de la médecine. Wendy avait été mise à l'épreuve par la sévérité des blessures auxquelles elle avait été confrontée en tant qu'interne. Et malgré sa passion du métier, elle n'avait pas mesuré le prix émotionnel qu'elle paierait plus tard. Rares étaient les patients qui se rétablissaient complètement, et les voir périr était un crève-cœur. Même quand elle les sauvait, leur qualité de vie s'en trouvait amoindrie, c'était inévitable, en particulier chez les victimes de blessures crâniennes. Heureusement, elle aimait repousser chaque jour ses limites et savourer ses succès. C'était la raison pour laquelle elle continuait. Elle ne pouvait pas imaginer travailler ailleurs. Chaque vie sauvée était une victoire.

Wendy n'était même plus certaine de vouloir des enfants. Elle s'était résignée des années plus tôt, du fait de sa situation avec Jeff, mais peut-être que ce projet de vie n'avait jamais été pour elle, de toute façon. Peut-être fallait-il impérativement un conjoint qui ne soit pas dans le milieu hospitalier pour fonder une famille stable. Bill reconnaissait que son ex-femme était une excellente mère. Lui passait moins de deux mois par an avec ses filles. Pourtant, aux yeux de Wendy, il semblait être un bon père.

Les pensées se bousculaient dans sa tête quand elle alla se coucher ce soir-là. Son esprit divagua de nouveau vers Jeff, Aspen et Jane, et son cœur s'alourdit en imaginant leur bonheur conjugal. Elle avait accepté de jouer le mauvais rôle, celui du secret que l'on dissimule. Désormais, elle ne voulait plus de cette vie, plus de cette honte d'être la maîtresse d'un homme marié, qui était telle qu'elle n'avait pas osé partager ce détail avec Bill. Il fallait qu'elle parle sérieusement à Jeff et elle redoutait déjà cette conversation. Ensuite, il faudrait le quitter, ce qui était plus dur que tout.

8

De plus en plus rodés à la vie parisienne, nos quatre Américains se rendirent en Vélib' au centre opérationnel, pour la réunion du lundi matin. Wendy et Stephanie firent remarquer qu'il n'était tout de même guère prudent de pédaler sans casque, mais Tom et Bill balayèrent leurs craintes avec désinvolture, en jetant un regard à la circulation pourtant désordonnée.

— Ce serait un comble, pour des traumatos en mission, de finir avec un traumatisme crânien, marmonna Stephanie.

Avec ses longues jambes, elle pédalait aussi vite que les hommes. Wendy devait fournir plus d'efforts pour se maintenir à leur hauteur, et Bill pensait régulièrement à ralentir pour ne pas la perdre.

— Personne ne porte de casque ici, rétorqua Tom. Fais comme si tu étais française.

La circulation était folle, particulièrement à l'heure de pointe mais, malgré les inquiétudes de Stephanie, ils arrivèrent sans encombre au COZ. Wendy décréta qu'elle rentrerait en métro à la fin de la journée. Marie-Laure vint accueillir les deux femmes pour s'enquérir de leur week-end. Ses deux enfants étant tombés malades, elle était restée coincée à la maison et avait dû annuler leur thé entre filles. Elles lui racontèrent leur shopping aux Galeries Lafayette et leur visite du Louvre.

— Vous devriez privilégier de plus petites boutiques, leur suggéra Marie-Laure. Nous avons beaucoup d'alertes concernant les grands magasins ces derniers temps. Personnellement, je ne m'y sentirais pas en sécurité.

Cette pensée avait traversé l'esprit de Wendy, mais Stephanie avait insisté : les lieux étaient protégés, et rien n'égalait l'offre des grands magasins en période de soldes – d'ailleurs elles étaient ravies de leurs emplettes. Stephanie portait un nouveau pull rouge à col en V que Gabriel remarqua aussitôt arrivé. Il sourit, laissa tomber son attaché-case à côté d'une chaise et se dirigea droit vers l'Américaine avec l'expression ardente qui l'avait hantée pendant tout le week-end. Lorsqu'il lui fit la bise, ce contact fugace et sa proximité lui rappelèrent le frisson de leur baiser. Il était évident pour tout le monde dans la pièce qu'ils se plaisaient – ce que Stephanie trouvait embarrassant, mais qui ne semblait pas déranger Gabriel.

Valérie fut la dernière arrivée et elle adressa un sourire tout malicieux à Tom, qui sentit ses jambes flancher.

— J'ai passé une très mauvaise journée hier grâce à vous, lui reprocha-t-il.

Devant son air perplexe, il expliqua :

— Paul et moi avons écumé tous les bars de Saint-Germain vendredi et samedi soir. J'ai passé le dimanche avec une gueule de bois carabinée. Si vous aviez accepté de dîner avec moi, je n'aurais pas été forcé de faire la tournée des comptoirs de la rive gauche, où les serveurs m'ont fait boire sans vergogne.

Ils étaient passés du vin rouge au whisky, sans parler des shooters de téquila, si bien qu'à leur réveil la soirée du samedi n'était plus que brouillard.

— Et ce serait ma faute ? demanda-t-elle, amusée.

Paul semblait dans un sale état, lui aussi. Aucun n'était rasé – mais deux hommes aussi séduisants pouvaient se permettre d'arborer une barbe de trois jours, et c'était à la mode. Bill, lui, affichait une mine fraîche, lisse et détendue après ce week-end avec ses enfants. Son programme avait été bien plus sain que celui de ses collègues.

Paul était rentré chez lui accompagné d'une Brésilienne rencontrée dans le dernier bar sur leur liste. Une danseuse engagée avec une troupe de samba pour animer la soirée. Tom gardait le vague souvenir d'avoir dansé sur le comptoir avec une fille en string à plumes. Ce qui était sûr, c'est qu'il s'était bien amusé. À son réveil le dimanche matin, il avait trouvé le sous-vêtement exotique dans la poche de sa veste – souvenir d'une excellente soirée parisienne, qui s'ajoutait à sa collection de reliques de nuits aussi folles.

— On dirait que vous méritez votre migraine, commenta Valérie en déclenchant l'hilarité générale.

Ils finirent par s'installer autour de la table pour se mettre au travail et étudier le planning de la semaine. Gabriel soufflait régulièrement quelques mots à l'oreille de Stephanie alors qu'ils parcouraient les statistiques et descriptifs des hôpitaux sur la liste des visites. Ils compulsèrent une pile de paperasse, et Valérie leur tendit un dossier détaillant les différents programmes de prise en charge post-traumatique. Le système en place semblait très efficace et incluait un suivi psychologique de deux ans minimum pour les survivants, remboursé par la Sécurité sociale.

Ils terminèrent la journée avec des documents plein les bras. Stephanie avait déjà accumulé une pile immense sur son bureau la semaine précédente. Elle partit avec Wendy en direction du métro tandis que leurs deux confrères se remettaient en selle sur des Vélib'. Ils se retrouvèrent tous les quatre pour dîner au bistro en bas de l'immeuble, sans trop s'attarder. Tom semblait encore un peu patraque et évoqua une possible tumeur au cerveau, ce qui fit rire les autres aux éclats. Bill blâmait plutôt les shooters de téquila.

Gabriel avait proposé un tête-à-tête au restaurant à Stephanie ce soir-là, mais elle avait décliné l'invitation pour retrouver son équipe. Il l'avait appelée trois fois pendant le repas et lui avait envoyé plusieurs messages. Face à cette cour effrénée, Stephanie se tenait entre gêne et excitation. Personne ne l'avait jamais draguée avec tant d'ardeur, et elle ne voulait pas que cela cesse, tout en ignorant ce qu'elle espérait de lui.

— Qu'est-ce que tu comptes faire ? chuchota Wendy, après réception d'un nouveau texto.

Stephanie rougit.

— Rien. Je suis mariée, affirma-t-elle avec détermination.

Mais elle semblait surtout essayer de s'en convaincre elle-même.

Sa cour tenace mise à part, Gabriel était un homme des plus raisonnables. Il était d'une intelligence remarquable et d'un charme irrésistible, si bien qu'il était difficile de repousser ses avances, et c'était bien ce qui lui faisait peur. Il avait sur elle l'effet d'une drogue.

— Ton alliance ne semble pas le ralentir, fit remarquer Wendy avec délicatesse. Je suis sûre que tu sais ce que tu fais, mais prends garde aux hommes mariés. Français ou Américains, ils sont probablement tous de la même veine. C'est un jeu dangereux et difficile à gagner. Tôt ou tard, il y a toujours des perdants. Je ne connais pas beaucoup d'histoires d'hommes mariés qui ont quitté leur épouse pour leur maîtresse. À vrai dire, je n'en connais aucune. Ça n'arrive pas. La situation est beaucoup trop confortable pour qu'ils désirent en changer. Les deux femmes sont complémentaires, et finalement c'est du pain béni pour le mariage.

— On dirait que tu sais de quoi tu parles, dit Stephanie avec douceur.

Wendy hocha la tête avec un regard entendu, mais ne se répandit pas en explications. Son histoire n'avait rien d'extraordinaire.

— Fais attention, c'est tout. Et ne chamboule pas ta vie pour lui trop vite.

Stephanie approuva. S'il lui donnait l'impression de la connaître depuis des années, leur rencontre ne datait en réalité que d'une semaine.

Avant d'aller se coucher, elle téléphona à ses enfants, puis discuta avec Andy qui semblait fatigué et triste. Il ne lui posa pas de question sur elle ni sur ce qu'elle apprenait et ne lui parla que de son absence. Il rendait impossible tout partage, et elle pouvait encore moins mentionner Gabriel, qui prenait de plus en plus d'importance dans son séjour parisien. Ils n'avaient plus d'autres sujets de conversation que les enfants. C'était pareil quand elle était à la maison. Leurs intérêts communs semblaient s'être évaporés. Au bout de sept ans, leur mariage lui donnait l'impression d'une traversée du Sahara – ce qu'elle avait confié à Gabriel au cours de leur dîner. Lui aussi avait fait cette expérience et il disait que les enfants étaient la seule raison pour laquelle sa femme et lui étaient restés ensemble. Mais ses enfants avaient grandi, et les enjeux n'étaient plus les mêmes. Ryan et Aden, à leurs âges, avaient encore besoin de leurs deux parents ensemble – du moins c'était ce que pensait Stephanie. Et avec son travail, elle ne pouvait pas les gérer seule. Mais ça semblait être une bien piètre raison de rester mariée. Même Andy lui avait suggéré de faire une pause, avant son départ. Ça lui avait semblé extrême sur le moment, mais beaucoup moins depuis sa rencontre avec Gabriel. Peut-être était-ce ce dont elle avait besoin. Du temps loin d'Andy pour réfléchir à ce qu'elle voulait vraiment, une fois rentrée. Ou peut-être que ce mois à Paris suffirait. Elle ne s'était jamais sentie autant perdue et tiraillée de toute sa vie. Gabriel avait tout chamboulé.

Quand son réveil sonna à 7 heures, il faisait un temps froid et pluvieux. Bill, Tom, Stephanie et Wendy prirent le métro ensemble pour leur première réunion. À 10 heures, ils avaient rendez-vous avec l'équipe française pour visiter les plus grandes urgences de la région. Toutes leurs procédures d'admission et de tri avaient été revues ces quatre dernières années pour s'adapter aux récents événements. Le système fonctionnait, mais Gabriel expliqua qu'il devait encore être amélioré, ce sur quoi ils travaillaient assidûment. Il espérait trouver de nouvelles idées dans le fonctionnement américain.

Un minibus les attendait pour les conduire à l'hôpital et, sur le trajet, ils débattirent des résultats de nouvelles études basées sur les récents événements. Ce sujet les passionnait tous. Tom entra dans le bâtiment en compagnie de Valérie, tandis que Bill discutait des procédures de l'hôpital de San Francisco avec Gabriel.

Ils commencèrent leur visite de l'hôpital sans tarder et remarquèrent combien les méthodes françaises et américaines différaient. Le processus de tri des patients effectué à même la rue était complètement différent, et il arrivait fréquemment de commencer les soins sur la scène de l'accident avant même de déplacer les victimes, pour stabiliser leur état, ce qu'on ne faisait pas aux États-Unis. Cette procédure était impossible si le danger était toujours présent et la zone perturbée par des tirs ou menacée par un risque d'explosion. Les soins de rue étaient un modèle plus adapté aux accidents qu'aux attentats terroristes.

Peu avant midi, alors qu'ils terminaient la visite du service chirurgie et s'extasiaient sur sa technologie de pointe, Marie-Laure reçut un appel et s'éloigna du groupe pour parler avec animation. Gabriel, qui avait perçu des bribes, la rejoignit, l'air préoccupé. Elle raccrocha et échangea quelques mots avec lui, l'air grave, avant de rejoindre les autres qui sentaient que quelque chose clochait.

— Situation de crise, expliqua Marie-Laure avec calme. Dans une école. Depuis vingt minutes. Je n'ai pas plus de détails. Nous ne savons pas s'il s'agit d'un tireur isolé ou de plusieurs. Il y a des otages et des victimes parmi les élèves et les enseignants. La police est sur place. Nous devons nous y rendre de toute urgence. Vous pouvez choisir de nous suivre ou non.

Elle semblait tendue et l'on voyait que son cerveau tournait à mille à l'heure. Les quatre Américains voulurent évidemment en être. C'était ce qu'ils étaient venus apprendre, même s'ils avaient espéré que leurs études de cas ne seraient que des événements passés. Le téléphone sonna de nouveau alors que tous la suivaient en direction de l'ascenseur.

Le fait que le drame ait lieu dans une école rendait la situation plus tragique encore. Marie-Laure ne connaissait pas le nombre exact de victimes. Il n'y avait pas de détecteurs de métaux à l'entrée des établissements scolaires, et le tireur avait pu faire entrer un sac rempli d'armes, dont la kalachnikov automatique avec laquelle il avait mitraillé. Les armes à feu étaient difficiles à se procurer en France, mais les criminels semblaient toujours trouver le moyen de s'armer. La police n'avait pas encore pu entrer en contact avec le preneur d'otages, et ses informateurs sur place estimaient que plusieurs centaines d'élèves et quelques enseignants étaient détenus dans le gymnase. On entendait des coups de feu depuis la rue. Deux professeurs coincés à l'intérieur avaient contacté la police et, à leur connaissance, il n'y avait qu'un seul tireur.

En l'espace de quelques minutes, les huit confrères furent de retour dans le minibus, avec Gabriel au volant. Il appuya à fond sur l'accélérateur, dépassant largement les limitations de vitesse et grillant les feux rouges le long des petites rues. Marie-Laure était au téléphone avec son contact de la police. Valérie écoutait attentivement sa conversation et traduisait l'essentiel pour les Américains. Ils arrivèrent sur les lieux en moins de dix minutes. C'était une école privée dans un beau quartier résidentiel qui n'avait jamais connu de drame et où il ne se passait jamais rien. Cet incident était le premier du genre, et c'était précisément ce que le gouvernement redoutait – un attentat dans un établissement accueillant des enfants – car, comme on venait de le leur expliquer lors de la visite de l'hôpital, l'une des failles du système actuel était le matériel chirurgical inadapté en cas d'afflux important de victimes en bas âge. Les instruments chirurgicaux utilisés en pédiatrie étaient rares, et c'était un défaut qu'ils avaient l'intention de pallier rapidement. Mais il était peut-être déjà trop tard.

Les médecins bondirent hors du van dès que Gabriel l'immobilisa sur un trottoir où était stationnée la police, à quelques centaines de mètres de l'école. Deux hommes en uniforme de CRS avec casque et gilet pare-balles approchèrent immédiatement, et Marie-Laure brandit son badge, se portant garante pour les autres. Valérie et Paul avaient leur propre laissez-passer, et Gabriel brandit une habilitation du gouvernement. Marie-Laure expliqua la présence des Américains.

Les CRS les autorisèrent à passer le barrage, d'où l'on entendait clairement les coups de feu de la kalachnikov. Deux enseignantes avaient réussi à s'échapper avec six élèves. Les enfants, livides, avaient un regard terrifié. Les professeures étaient interrogées par la police alors que le RAID arrivait sur place et que les CRS en uniforme bouclaient le quartier.

Elles expliquèrent que le forcené avait tiré dans plusieurs salles de classe avant que les autres enseignants ne soient prévenus de son intrusion, ce qui expliquait pourquoi les portes n'avaient pas été verrouillées comme le préconisait la procédure d'urgence.

Elles n'avaient pas essayé de se jeter sur l'homme lourdement armé, par peur d'être blessées. Il avait ordonné le rassemblement dans le gymnase via les haut-parleurs. Le criminel avait frappé à l'heure de la récréation, qu'il semblait connaître, si bien que la plupart des élèves et enseignants étaient déjà regroupés, et il avait exigé que les plus jeunes soient témoins de la terreur infligée aux plus grands. Personne n'était certain qu'il agissait seul, mais rien n'indiquait non plus qu'il ait eu des complices. La police ne devait négliger aucune piste.

Une enseignante estimait à 30 le nombre de victimes avant qu'il n'atteigne le gymnase, et elle avait réussi à s'échapper avec les six élèves à travers les cuisines. Les employés de la cantine s'étaient réfugiés dans une allée adjacente, et une équipe de police fut dépêchée pour les récupérer alors qu'on entendait de nouveaux coups de feu.

Marie-Laure et Gabriel se joignirent à l'interrogatoire des enseignantes et posèrent quelques questions. Les six autres restaient en retrait, silencieux, pour ne pas interférer avec l'échange tendu. Les deux femmes, encore sous le choc, tremblaient comme des feuilles. La première rapporta que deux élèves avaient été abattus alors qu'ils quittaient la classe. Elle pleurait à chaudes larmes, et sa collègue passa un bras autour de ses épaules. Valérie s'approcha et lui parla doucement. Elle fut autorisée par la police à entraîner les enseignantes un peu plus loin pour les calmer, à condition de rester disponible si de nouvelles questions survenaient. Pour l'instant, elles avaient transmis des informations capitales.

Une équipe du RAID fut déployée à l'arrière de l'établissement scolaire, et les maisons voisines furent évacuées pour limiter les risques de victimes de balles perdues quand l'école serait prise d'assaut. La question était de savoir quand et comment. L'unité d'élite ne voulait pas attendre, mais pas entrer avant d'être parfaitement prête non plus. Son irruption ferait sans doute malheureusement de nouvelles victimes. Sur demande de la police, Marie-Laure, Gabriel et Paul furent escortés jusqu'à un bus garé une rue plus loin, et ils purent se concerter avec l'officier responsable, le capitaine Bruno Perliot, chargé de la coordination des équipes du RAID. Ses hommes planifiaient leur entrée tandis que les renforts patientaient à l'extérieur, se raidissant à chaque coup de feu.

— On ne connaît pas son mobile, dit Perliot d'une voix calme avec des yeux pleins de colère.

Ils venaient d'apprendre que l'établissement accueillait 620 élèves, sous la supervision de 80 enseignants.

Il y avait au moins une douzaine de policiers dans le bus qui faisait office de QG.

Des escadrons de CRS et du RAID attendaient dans la rue qu'on leur donne le feu vert. Le risque était de privilégier la rapidité d'intervention au détriment de la sécurité. Mais quoi qu'ils fassent, il y aurait un prix à payer. Ils n'avaient aucune idée de l'endroit où se trouvait le tireur ni de la nature de son mobile

– agissait-il pour des raisons politiques, religieuses, ou était-il simplement un forcené isolé ?

— Je veux savoir qui est ce salopard, décréta le capitaine Perliot, les dents serrées.

Deux policiers en tenue de combat entrèrent dans le bus, accompagnés d'une vieille femme qui se présenta comme la documentaliste de l'école. Quand l'attaque avait commencé, elle rangeait des livres dans une remise au sous-sol et avait réussi à s'enfuir par une fenêtre. Elle avait entendu le discours du tireur diffusé par haut-parleurs et, pendant sa fuite, avait cherché à sauver des enfants. Elle avait pu approcher du gymnase et disait que ses portes étaient verrouillées. D'après elle, tout le monde était enfermé avec lui. Certains élèves et professeurs se cachaient peut-être ailleurs, mais elle s'était échappée sans croiser âme qui vive.

— Je crois que je sais de qui il s'agit, dit-elle d'une voix tremblante. Il parlait de sa femme et disait que tout le monde allait payer pour sa mort. L'administration a réduit l'équipe il y a trois ans, et plusieurs enseignants ont été licenciés. C'est le mari d'Élodie Blanchet. Elle était prof d'histoire, une femme charmante. Six mois après son licenciement, on lui a diagnostiqué un cancer du sein et elle a subi une mastectomie et une chimio. Je lui ai rendu visite à l'hôpital quand je l'ai appris. Elle est morte il y a un an. La dernière fois que je l'ai vue, elle m'a dit que son mari était dangereusement instable et qu'il était persuadé qu'elle devait son cancer à son licenciement. C'était la raison de leur séparation. Elle avait une fille de 14 ou 15 ans, qui vit maintenant chez sa grand-mère. Nous sommes plusieurs à avoir assisté à ses obsèques. Son mari était là, mais il n'a parlé à personne de l'école. C'est une histoire très triste. Je crois qu'il a un lourd passif de troubles mentaux sévères qui lui ont coûté son emploi. C'est tout ce que je sais sur lui.

Elle était certaine d'avoir reconnu sa voix au haut-parleur, et il avait mentionné Élodie. Son identité ne faisait plus de doute. Le capitaine Perliot lui demanda son nom : François Blanchet.

Deux policiers sortirent immédiatement leur téléphone pour rassembler autant d'informations que possible sur le malfaiteur. Cinq minutes plus tard, le service des renseignements les rappelait. François Blanchet, 49 ans, ingénieur au chômage, réformé de l'armée pour inaptitude psychiatrique – il s'y connaissait donc en armes. Il vivait dans un quartier sensible de Paris, mais on ignorait où se trouvait sa fille. Dix minutes plus tard, ils obtinrent un numéro de portable et, levant les mains pour réclamer le silence absolu, le capitaine lança l'appel. Marie-Laure envoya un policier chercher Valérie, et elle accourut pour rejoindre le bus alors que l'appel sonnait toujours. Il serait enregistré.

Le tireur ne répondit pas. Les coups de feu continuaient de retentir à l'intérieur du gymnase. Puis le silence se fit, et François Blanchet décrocha. Bruno Perliot s'adressa à lui d'une voix calme et égale. Tout ce qu'il voulait, c'était lui parler. Il lui demanda de sortir à découvert.

— Vous me prenez pour un con ? Je sors, et ensuite ? Vous m'abattez aussitôt. N'essayez pas d'entrer. Sinon la moitié des gosses seront morts avant que vous n'arriviez à ouvrir les portes.

— Parlons-en. Je suis désolé pour votre épouse. Ce qui lui est arrivé est terrible, dit Bruno d'une voix apaisante.

— Ils l'ont tuée ! éructa François Blanchet au téléphone.

Puis il éclata en sanglots, et répéta :

— Ils l'ont tuée. Elle est tombée malade tout de suite après qu'ils l'ont virée. Elle était si belle, si douce, et c'était une super prof. Ce sont eux qui l'ont rendue malade. Elle n'aurait jamais développé un cancer s'ils ne l'avaient pas mise dehors. Elle n'était jamais malade, jamais. Ils étaient trop radins pour la payer, alors ils l'ont tuée.

— Je suis sûr qu'ils le regrettent amèrement, dit Bruno d'une voix douce.

Mais le tireur s'énerva aussitôt.

— Ah, ça, ils vont le regretter. Ils vont payer pour chaque jour où elle a souffert, et chaque minute qu'elle n'a pas pu vivre. Je l'aimais tant... C'était une femme merveilleuse.

Il se remit à sangloter.

— Oui, c'est ce qu'on m'a dit.

Pendant que le capitaine Perliot parlait au tireur, les équipes du RAID exploraient l'établissement. Elles avaient trouvé deux points d'entrée et avaient commencé à s'infiltrer par le sous-sol.

144

— François, je crois qu'elle ne voudrait pas qu'il arrive malheur aux enfants. Elle les aimait.

Le capitaine tentait de le faire parler pour gagner du temps, pendant qu'on mettait en place l'assaut de l'école.

— Je sais qu'elle les aimait. Mais ça ne les a pas empêchés de la virer et de la tuer. Maintenant, ma fille n'a plus de mère, et moi, je n'ai plus de femme.

Il pleura bruyamment pendant quelques instants, puis on entendit une déferlante de coups de feu.

La nouvelle de la prise d'otages avait fuité et des camions de chaînes de télévision étaient arrivés sur les lieux, déversant leurs reporters dans la rue. La presse attendait l'issue dramatique, car pour l'instant il n'y avait rien à montrer. Un petit attroupement de parents s'était formé dans la rue. Serrés dans les bras les uns des autres, ils attendaient des nouvelles de leurs enfants. Pourtant, la plupart des parents n'avaient pas encore été avertis de la situation. Une zone de sécurité avait été délimitée par des rubans pour les tenir à l'écart, gardée par deux policiers. Valérie était allée les voir rapidement avant de retourner dans le bus pour assister à l'appel avec le tireur.

Désormais immobile, elle écoutait chaque mot avec une concentration extrême. Le capitaine dirigeait la conversation avec expertise. Dans l'idéal, il aurait fallu que le tireur se rende, mais les chances d'une telle issue étaient quasi nulles. Il était allé trop loin. Stephanie et Bill pensaient à leurs propres enfants, et à leur terreur si une chose pareille leur arrivait.

Leur cœur se serrait par empathie pour les familles à l'agonie. Un CRS tendit aux quatre Américains des brassards de sécurité orange pour les identifier comme faisant partie de l'opération, au cas où la situation dégénérerait. La presse avait déjà eu vent de la prise d'otages, et la police s'attendait à voir arriver une foule de parents paniqués.

Cinq minutes plus tard, un policier s'approcha du capitaine et lui souffla que la fille de Blanchet appelait sur le numéro central de la police – ou du moins une jeune fille qui prétendait être Solange Blanchet. Le capitaine désigna Valérie pour prendre l'appel, et on lui tendit un téléphone. Elle s'éloigna de quelques pas pour ne pas perturber la conversation du capitaine avec le tireur.

Solange confirma que le preneur d'otages était son père, gravement malade depuis le cancer de sa mère. Elle ne l'avait pas vu depuis les obsèques et ignorait son état actuel, mais elle supplia Valérie de ne pas le tuer et de le conduire à l'hôpital. Il fallait seulement l'empêcher de faire du mal aux enfants. Elle pleurait de désespoir.

— Combien de temps vous faudrait-il pour arriver sur place ? demanda Valérie.

— Je ne sais pas. Un quart d'heure peut-être. Ma grand-mère peut m'emmener en voiture.

— Vous nous seriez d'une grande aide si vous pouviez parler à votre père.

Ce n'était pas la première fois que Valérie était confrontée à ce genre de situation. La possibilité de parler avec son enfant, sa femme ou sa mère, pouvait ramener un tireur à la réalité. Parfois, les proches étaient les mieux placés pour la négociation. Valérie savait que l'expérience serait traumatisante pour la jeune fille et qu'elle devrait faire l'objet d'un suivi psychologique ensuite, mais c'était leur seul atout. Bruno avait établi un contact avec Blanchet, mais il n'arriverait pas à le convaincre de déposer les armes et de se rendre. Les coups de feu continuaient de ponctuer leur conversation, suivis de cris s'échappant du gymnase. Il tirait parfois dans le vide pour réclamer le silence, parfois directement sur des victimes.

Des élèves, dissimulés tant bien que mal là où ils le pouvaient, avaient appelé la police depuis leurs téléphones portables – normalement interdits dans l'établissement – et chuchotaient des renseignements. D'après eux, au moins 50 élèves étaient morts dans le gymnase, beaucoup de professeurs aussi. Ils ne savaient pas combien d'élèves restaient dans les couloirs, et Blanchet tirait encore. Une enseignante rapportait la présence d'un sac entier de kalachnikovs. Blanchet lui-même prétendait avoir assez de munitions pour tous les abattre.

Il fallait intervenir, ça ne faisait aucun doute. Ce n'était plus qu'une question de temps. Il y avait des snipers positionnés au niveau des fenêtres, mais elles étaient trop hautes pour offrir un point de vue optimal. Des échelles avaient été placées sur la façade du bâtiment, mais on attendait encore l'ordre d'ouvrir le feu. Les équipes du RAID au sous-sol avaient reçu l'ordre de ne pas bouger et se tenaient prêtes. Les tireurs d'élite avaient infiltré les locaux. Au moins 200 policiers étaient postés dans la rue. Les ambulances étaient arrivées et, avec elles, une équipe de médecins et de secouristes.

Valérie remit au capitaine un mot pour l'informer que la fille de Blanchet arriverait dans quinze minutes. Elle était déjà sortie de classe, et sa grand-mère était en route pour venir la chercher. Bruno décida de l'attendre. Il ne voulait pas perdre une centaine de victimes quand les équipes du RAID feraient irruption dans le gymnase. S'il y avait une chance pour que le tireur se rende calmement, il fallait la saisir. Pendant ce temps, ils étudiaient le meilleur accès au bâtiment.

Bruno continuait de parler à Blanchet, qui sanglotait toujours sur la mort de sa femme et n'avait pas tiré depuis plusieurs minutes. Après ce qui sembla être une éternité, une jeune fille mince aux longs cheveux blonds nattés monta à bord du bus, l'air terrifié. Sa grand-mère l'attendait dehors. À 15 ans, Solange était déjà orpheline de mère et voyait son père perdre la tête. Elle voulait aider la police, et Valérie lui expliqua dans un coin calme ce qu'on attendait d'elle. La voix seule de Solange pouvait suffire à maîtriser Blanchet et à le ramener à la réalité avant qu'il ne fasse plus de victimes. On lui tendit un téléphone connecté à la même ligne que le capitaine pour qu'il puisse continuer d'entendre la conversation.

— Papa...

Sa voix tremblante était douce, et ses yeux brillaient de larmes.

— Maman n'aurait pas voulu tout ça. Tu dois arrêter maintenant. Je t'aime. Maman t'aimait.

Père et fille sanglotaient de chaque côté de la ligne.

— Ils l'ont tuée, Solange. Tu ne comprends pas. Tu étais trop jeune. C'est à cause d'eux qu'elle a eu un cancer. Ils méritent de mourir.

— Je ne veux pas que tu meures toi aussi... ni les enfants... le supplia-t-elle.

— C'est la seule façon de les forcer à m'écouter. Il n'y a pas d'autre moyen. Je dois venger ta mère, dit-il d'un ton qui redevenait agressif. Ce n'est que justice. Les enfants n'ont pas souffert. Je les ai abattus d'une balle en pleine tête.

Chacun, dans le bus, en eut la nausée. Solange étouffa un sanglot. Elle-même comprenait que jamais son père ne s'en sortirait vivant. Tout ce qui leur restait à espérer était que le nombre de victimes n'augmente pas.

— Solange, maintenant je veux que tu rentres à la maison, dit-il avec l'autorité d'un père. Tu n'as rien à faire là, tu devrais être à l'école.

— C'est moi qui ai voulu venir. Est-ce que je peux entrer pour te voir, papa ?

C'était peut-être sa dernière chance de le voir en vie.

— Non, retourne en classe. Ta mère ne voudrait pas de toi ici.

— Je t'aime, papa.

— Moi aussi, je t'aime. Maintenant je dois te laisser. Rentre à la maison.

Tout en écoutant la conversation, Valérie échangeait par messages avec ses assistants pour qu'on envoie les équipes de prise en charge post-traumatique. Certaines étaient déjà là, mais son intuition lui disait que le nombre de victimes avait été sous-estimé.

Le capitaine secouait la tête en écoutant l'échange entre le père et la fille. Blanchet n'avait pas l'intention de se rendre. Le capitaine Perliot demanda à Valérie de faire descendre Solange du bus et elle l'escorta à l'extérieur. Une fois la jeune fille évacuée, il décida enfin de lancer l'intervention. Quatre équipes devaient attaquer simultanément pour fracasser les portes du gymnase et libérer les otages. Les tireurs d'élite étaient à mi-hauteur sur les échelles, juste en dessous des fenêtres, avec Blanchet en ligne de mire. Tout le monde était en place et prêt à intervenir.

C'est le visage sombre qu'il donna l'ordre final d'entrer, transmis dans les oreillettes de tous les officiers du RAID. Un quart de seconde plus tard, les tireurs d'élite s'élancèrent en haut des échelles, les portes du gymnase explosèrent, les fenêtres furent brisées, et les balles fusèrent. Les enfants hurlaient, mais François Blanchet gisait mort sur l'estrade, avec six balles dans la tête et quatre dans la poitrine, venues de toutes les directions. Les officiers de police et du RAID couraient, portant dans leurs bras des enfants blessés afin de les confier au plus vite aux secours. Il restait aussi à la police la sinistre tâche de compter les morts et de les évacuer, ainsi que de s'assurer que Blanchet avait agi sans complices – ce qui semblait être le cas.

Dehors, les parents sanglotaient en accourant vers les ambulances dans l'espoir d'identifier leurs enfants. On s'agrippait aux élèves secourus, et des hurlements d'angoisse retentissaient pour les absents. Au milieu de tout ce tumulte, Solange pleurait dans les bras de sa grand-mère, confrontée à son terrible destin : orpheline et fille d'assassin. Son père, un monstre, venait de mourir.

C'était une scène de massacre et de désespoir, de terreur et de tragédie, qui fendait le cœur des policiers les plus endurcis. Certains parents tentèrent de pénétrer dans l'école, mais on les en empêcha. Des groupes d'enfants indemnes étaient régulièrement évacués par le RAID. Ils semblaient étourdis, certains hurlaient, d'autres devaient être portés. Valérie était en première ligne pour évaluer leur état, plaçant un mot ici et là. Elle leva la tête pour voir un robuste officier du RAID portant une enfant ensanglantée, et elle vit une ombre filer à toute allure devant elle. C'était Tom Wylie, qui prit l'enfant dans ses bras pour la porter dans l'ambulance la plus proche. La fillette était sur le point de mourir. Elle avait reçu une balle en pleine poitrine et saignait abondamment. Sa mort n'était qu'une question de minutes. Un autre médecin le rejoignit aussitôt et, à eux deux, ils comprimèrent la blessure et firent tout ce qu'ils pouvaient pour la garder en vie. Tom lui fit comprendre qu'il partirait avec l'ambulance, et le médecin hocha la tête et cria au conducteur de les emmener à l'hôpital Necker aussi vite que possible. Les portes du véhicule se refermèrent et ils disparurent. Les parents de la fillette n'avaient pas eu le temps de l'apercevoir, et seul un photographe indépendant avait été témoin du sauvetage de Tom.

Tom parla en anglais à l'enfant durant tout le trajet. Les paupières de la gamine tressaillaient, son pouls était faible, mais elle tenait bon. Deux ambulanciers faisaient le trajet avec lui. À trois, ils prodiguaient des soins en coordination parfaite pour maintenir une pression constante sur la blessure. Tom était couvert de sang quand ils arrivèrent à l'hôpital. Une équipe de médecins urgentistes accourut, et Tom pria pour qu'ils parviennent à la sauver. Elle était trop jeune pour mourir. Il refit le chemin inverse en ambulance et, une fois revenu devant l'école, il trouva Wendy à genoux sur le bitume, serrant contre elle un garçon en état de choc qui avait failli perdre son bras sous les balles. C'était un des plus âgés, déjà plus grand qu'elle, et elle l'aida à s'allonger sur une civière qui fut aussitôt emportée.

Bill et Stephanie étaient au chevet d'un garçon de 10 ans qui venait tout juste de rendre l'âme. Paul participait à l'évacuation des enfants blessés avec la police, et Marie-Laure et Gabriel aidaient ceux qui pouvaient marcher à rejoindre les ambulances. Valérie évoluait parmi les parents, distribuant attentions, étreintes et paroles réconfortantes pour les aider à trouver leurs enfants. Les élèves indemnes remplissaient déjà les bus à destination d'une autre école où les attendait une cellule psychologique.

Valérie suggéra à la grand-mère de Solange de quitter les lieux rapidement, avant que les journalistes ne repèrent la jeune fille et ne l'assaillent de questions. Elles prirent la voiture quelques minutes plus tard. Valérie avait donné sa carte à la grand-mère, lui demandant de la rappeler plus tard et de lui amener Solange le lendemain matin. La grand-mère lui avait promis de le faire.

Une fois les blessés répartis dans les hôpitaux, le décompte des victimes commença, et l'on évacua les cadavres de l'école. Les policiers pleuraient devant le massacre. Certains enfants avaient été abattus d'une balle en pleine tête, comme l'avait annoncé le tireur, mais beaucoup s'étaient vidés de leur sang dans les classes, les couloirs ou le gymnase. Le décompte final était terrifiant, c'était le plus grand massacre que Paris ait jamais connu. Cent vingt-neuf élèves avaient trouvé la mort, ainsi que 32 enseignants. Ce qui portait le total à 161 victimes, soit près d'un quart de l'effectif de l'école. D'autres périraient des suites de leurs blessures. Plus de 50 enfants avaient été blessés, certains avaient perdu des membres. Ces ravages étaient le fait d'un seul homme, imprévisible et dérangé. Personne n'aurait pu l'empêcher d'agir. C'était un massacre d'une ampleur inédite.

Une fois tous les enfants et enseignants évacués, Marie-Laure invita ses collègues chez elle. Ses enfants étaient à l'école, et l'équipe avait besoin d'un endroit où se rassembler, faire le deuil des victimes, reprendre son souffle et pleurer devant l'injustice de cette tragédie. Crasseux, imprégnés de sang et épuisés, ils grimpèrent à bord du minibus. Stephanie et Wendy pleuraient. Tom ne connaissait même pas le nom de l'enfant qu'il avait tenté de sauver. Valérie était partie rejoindre l'autre école pour rencontrer les parents, les élèves, les enseignants et leurs proches dans le cadre de l'opération de prise en charge post-traumatique. Mais le reste de leur équipe roulait en direction de chez Marie-Laure. Le capitaine Bruno Perliot devait reprendre contact plus tard. Il y aurait de nombreuses concertations, conférences de presse et réunions durant les jours suivants pour comprendre ce qui s'était passé, ce qui avait mal tourné et ce qui aurait pu être géré autrement. Ils avaient perdu un nombre inacceptable de vies. La réponse des forces de l'ordre avait été organisée avec la précision d'une horloge, malheureusement, un tireur fou lourdement armé les avait battus à plate couture en volant 161 âmes.

Ils restèrent deux heures chez Marie-Laure avant de rentrer chacun chez eux, tandis qu'elle retrouvait Valérie au centre de soutien psychologique. Un grand nombre de familles et d'enseignants traumatisés avaient besoin d'être aiguillés. La situation était accablante, mais elle fut gérée avec le plus grand professionnalisme. Les quatre médecins américains éprouvaient un profond respect pour le sang-froid de leurs collègues dans de telles circonstances.

Andy avait appelé Stephanie à la minute où il avait vu les informations à la télé, tard le soir. Il lui demanda de rentrer à San Francisco, arguant qu'elle n'avait aucune raison d'être à Paris et que sa place était auprès de ses enfants. Ce n'était pas son rôle de risquer sa vie en France.

— À aucun moment je n'ai été en danger, expliqua-t-elle d'une voix triste. Nous n'étions pas dans l'école. Et je suis exactement là où je suis censée être. Nous avons beaucoup à apprendre d'eux, et d'informations à partager. Je suis ici parce que des situations identiques ont lieu dans nos deux pays.

— Mais rentre à la maison, bordel ! cria-t-il, envahi par ses propres peurs.

— Je t'aime, mais je reste, décréta-t-elle avec douceur.

Quand il lui raccrocha au nez, elle mesura combien il avait eu peur pour elle.

Jeff appela Wendy alors qu'elle marchait en direction de la rue du Cherche-Midi. Il avait l'habitude de se coucher tard, pourtant elle fut surprise de l'entendre.

— Comment ça va ? demanda-t-il avec le détachement d'un collègue ou d'un ami de longue date.

Elle supposa que la proximité de Jane lui valait ce ton impersonnel.

— Je vais bien, mais j'ai le cœur en miettes.

Elle fondit en larmes.

— Je n'en doute pas. Je m'inquiétais pour toi. Je voulais juste prendre des nouvelles. Je suis content que tu ailles bien. On se voit à ton retour.

Et sur ces paroles il raccrocha, la laissant sur sa soif de tendresse et de réconfort. Un « je t'aime » n'aurait pas été de refus. Mais ce n'était pas le style de Jeff. Cela faisait des années qu'il ne lui avait pas fait de grande déclaration, soit parce qu'il n'estimait plus cela nécessaire, soit parce qu'il ne le pensait plus. Ou peut-être croyait-il qu'il ne trompait pas vraiment sa femme s'il n'avait pas de sentiments pour sa maîtresse ?

Bill, qui avait entendu la conversation, se tourna vers elle. Il lut la déception sur son visage.

— Tu sais ce qu'on dit de la compassion et des chirurgiens…

Ils se séparèrent en arrivant à l'immeuble, regrettant de ne pas pouvoir aider davantage les victimes. Tom voulait se rendre à l'école où Valérie travaillait avec ses équipes de psychologues, mais il craignait de déranger. Au lieu de quoi, il frappa à la porte de Bill, une bouteille de whisky à la main. Stephanie se joignit à eux quelques minutes plus tard.

— J'en ai bien besoin, dit-elle alors que Tom lui servait un verre.

Bill alla sonner chez Wendy pour l'inviter à se joindre à eux, ce qu'elle fit volontiers. L'opération s'était déroulée sans accroc, mais la journée avait été éprouvante. Des familles avaient perdu leurs enfants. Bill alluma CNN et le reporter annonça une veillée à Notre-Dame ce soir-là à 21 heures, en hommage aux victimes. Les quatre étaient d'avis d'y assister. D'une certaine manière, ils étaient heureux d'avoir pu apporter leur aide. C'était si peu,

156

en comparaison du nombre de victimes, mais c'était la voie qu'ils avaient choisie. Ils avaient eu raison de venir en France. Les événements de la journée le confirmaient. Le destin les avait amenés là pour qu'ils puissent sauver des vies. Ils étaient nés pour ça, quitte à s'y briser le cœur.

9

L'équipe de San Francisco se retrouva dans le hall de l'immeuble à 20 h 45, chaudement vêtue – Stephanie et Wendy portaient des bonnets de laine. Ils partirent en taxi, mais le véhicule dut s'arrêter à quelques rues de Notre-Dame et ils finirent le trajet à pied. Le quartier était rempli d'âmes silencieuses, portant bougeoirs et fleurs et marchant avec solennité vers la cathédrale. Les deux femmes échangèrent un regard, puis contemplèrent la foule d'inconnus qui s'étaient rejoints pour pleurer les élèves disparus, ces vies volées trop tôt, ainsi que les enseignants qui pour beaucoup étaient encore jeunes. C'était une manière de faire face, ensemble. Elles sentirent un lien fort se tisser parmi cette assemblée réunie pour déplorer la folie vengeresse d'un tireur solitaire à l'esprit malade. La tragédie était, pour chacun, d'une ampleur inconcevable.

L'école avait été fermée et, d'après les informations, elle ne rouvrirait pas avant le trimestre suivant. Les élèves seraient dispersés dans des établissements voisins, et les enseignants, profondément traumatisés, placés en arrêt maladie. De nouvelles mesures de sécurité devaient être mises en place. Deux autres enfants avaient succombé à leurs blessures, ce qui portait à 163 le nombre de morts.

On avait publié une photo de Solange, la fille du forcené, dans les journaux du soir, prise lorsqu'elle montait à bord du bus de police pour parler au téléphone avec son père. De dos, le visage caché, elle ressemblait à n'importe quelle lycéenne avec son sac à dos et sa natte. Si la presse choisissait de l'identifier plus précisément, elle détruirait sa vie encore davantage.

Gabriel parvint, contre toute attente, à retrouver Stephanie au cœur de la foule qui se massait devant Notre-Dame. Des milliers de personnes avaient allumé des cierges et déposaient des bouquets de fleurs sur les marches de la cathédrale. Un prêtre bénit les offrandes, et les cloches sonnèrent 163 fois, résonnant dans les têtes et dans les cœurs. Gabriel ne dit rien à Stephanie quand il la retrouva. Il resta silencieux à côté d'elle, un bras passé autour de ses épaules, une bougie dans l'autre main.

Marie-Laure et Paul étaient là aussi. Ils téléphonèrent à Wendy pour retrouver le petit groupe. Ensemble, ils se sentaient plus apaisés et ils restèrent jusqu'à 23 heures. Tom les quitta pour retrouver Valérie qui œuvrait toujours auprès des familles pour accompagner les parents et les prévenir des comportements auxquels s'attendre chez leurs enfants. Il y aurait des cauchemars, des larmes, des crises d'angoisse, des terreurs nocturnes, le temps que la réalité des événements soit pleinement acceptée et digérée. Les discussions avec les familles étaient douloureuses. On lisait le traumatisme sur le visage des enfants qui se raccrochaient désespérément aux bras de leurs parents, en quête d'un semblant de sécurité. Certains étaient frappés de mutisme, et Valérie rassurait les parents sur le caractère temporaire de cet état. Elle savait qu'il leur faudrait du temps avant d'être rassurés. Ils allaient revivre l'horreur de cette journée pendant des années encore.

Tom attendit que Valérie prenne une pause pour lui proposer un café au buffet mis à disposition pour les participants.

— Je n'arrête pas de me demander comment va cette petite fille, dit Tom avec tristesse entre deux gorgées. J'ai peur qu'elle ne s'en soit pas sortie. On a réussi à stopper l'hémorragie dans l'ambulance, mais elle avait déjà perdu beaucoup de sang.

— Tu sais où ils l'ont emmenée ? demanda Valérie.

— À Necker.

— On pourra les appeler demain.

L'ayant vu se démener pour sauver les enfants, Valérie avait désormais du respect pour Tom, pour le médecin comme pour l'homme. Sur place, il s'était montré infatigable, ingénieux, extrêmement compétent et dévoué. Il avait fait tout son possible pour sauver chaque enfant. Il n'était pas le clown qu'elle avait mésestimé. Elle avait été témoin non seulement de son expertise, mais aussi de sa compassion infinie.

— Tu es un médecin incroyable, dit-elle alors qu'ils finissaient leur tasse.

Les trois autres Américains avaient été tout aussi impressionnants, autant que leurs homologues français.

— Je fais de mon mieux, dit-il humblement, mais ce n'est pas toujours suffisant.

Il quitta Valérie à 2 heures du matin, sans s'immiscer dans la prise en charge psychologique. Valérie savait ce qu'elle faisait et elle était bien plus compétente que lui pour s'occuper de la souffrance des familles. Il retourna à son appartement et se laissa tomber sur le lit tout habillé. Trop exténué pour bouger, il resta allongé à pleurer jusqu'à ce que le sommeil l'emporte.

Tous répondirent présents pour la réunion du lendemain, fatigués, abattus et inquiets. Comme ils s'y attendaient, la situation avait encore empiré au matin. Quatre autres enfants avaient péri durant la nuit, ainsi qu'une enseignante, soit un total de 168 décès.

Valérie assista à la réunion mais dut partir tôt. Elle avait trop de séances de suivi psychologique à organiser et de programmes à coordonner. Elle avait vu Solange à 7 heures du matin. La jeune fille craignait de retourner à l'école et d'affronter le regard de ses camarades, mais Valérie et sa grand-mère s'efforçaient de la convaincre d'essayer, juste quelques jours, pour voir comment elle se sentait. Il y avait beaucoup de plaies à guérir sur tous les fronts, et Valérie se démenait pour orchestrer le tout.

L'équipe disséqua l'intervention des premiers secours pour déterminer ce qui avait été mis en place de manière satisfaisante, et ce qui méritait une amélioration. Chacun avait un retour constructif à apporter.

Après ça, ils se rendirent dans les hôpitaux où les victimes avaient été transportées. Les blessures étaient abominables. Certains enfants devaient être amputés. À Necker, Tom eut une surprise réconfortante. À son arrivée, il s'enquit de l'état de la petite fille, mais il fallut un certain temps à l'administration pour l'identifier. On lui demanda s'il se souvenait de sa couleur de cheveux, mais il n'avait pas pu la déterminer sous le sang. Quand on lui indiqua enfin la chambre, Tom découvrit ses parents à son chevet. Ils discutèrent un instant, malgré son français atroce, et le couple bredouilla des remerciements dans un anglais maladroit.

La petite fille était assommée par les médicaments à cause de l'opération chirurgicale de la veille, mais il voyait qu'elle était stable et survivrait. Personne ne pouvait appréhender une telle tragédie, mais il faudrait pourtant apprendre à vivre avec.

Tom retrouva Valérie en fin de journée, autour d'un verre de vin près de la rue du Bac. Avec la fatigue, tous les deux avaient baissé la garde. Les événements de la veille les avaient rapprochés. Leurs talents de médecins s'étaient révélés, et Valérie avait aperçu ce que Tom cachait derrière son armure d'humour et de désinvolture : un homme au grand cœur, bon et sérieux. Elle comprenait ce qui lui valait le respect de ses confrères d'Oakland.

— Pourquoi exerces-tu ce métier ? lui demanda-t-elle après un début de conversation plus détendu.

Elle devait retourner ce soir-là dans un autre établissement scolaire où une cellule de soutien psychologique avait été mise en place pour les survivants.

— Pour des moments comme ceux d'hier. Pour pouvoir prendre la bonne décision en un quart de seconde, avant qu'il ne soit trop tard, et faire ce qu'il faut.

Elle suspectait qu'il y avait plus que ça, mais il ne développa pas. Qu'ils l'admettent ou non, ils avaient tous des motivations personnelles plus profondes.

— Et toi ?

— Enfant, j'ai vécu deux ans avec ma famille au Liban, en pleine guerre civile. J'y ai perdu des amies. Alors j'ai voulu, à mon niveau, participer à changer le monde. Je voulais devenir obstétricienne quand j'ai commencé la fac de médecine, mais finalement c'est la psychiatrie qui m'a séduite. Le cœur et l'esprit humain m'intriguent bien plus que les bébés. Je pense avoir fait le bon choix.

Tom se tut pendant une minute, et elle vit quelque chose changer dans son regard. Il savait qu'il pouvait lui faire confiance et s'ouvrir sur les fantômes de son passé.

— J'ai grandi dans le Montana, dans la campagne reculée. Quand j'avais 11 ans, j'ai eu un accident de voiture avec mes parents et mon frère. Les distances sont telles là-bas, et les maisons si isolées, que les secours ont mis beaucoup de temps à arriver. Ils sont morts sous mes yeux. Je voulais les aider, mais je ne savais pas comment. Tous ceux que j'aimais ont disparu ce soir-là. Mon monde s'est effondré. Si j'avais été médecin, j'aurais pu les sauver. Alors à partir de cet instant, j'ai su ce à quoi je voulais consacrer ma vie. On m'a placé chez ma tante et mon oncle dans l'Oklahoma. Ils n'avaient pas beaucoup d'argent et n'étaient pas les tuteurs les plus chaleureux, mais ils m'ont offert un toit. C'était des gens modestes, mais l'héritage de mes parents a permis de subvenir à mes besoins et même de financer mes études de médecine, alors je me suis lancé.

Cela expliquait tout, et Valérie fut prise d'une compassion immense à son égard.

— C'est pour cette raison que tu n'es pas marié et que tu ne veux pas d'enfants ?

— Sans doute. Je sais, ce n'est pas un choix très original pour quelqu'un qui a vu le destin tout lui prendre. On peut perdre ceux qu'on aime en un claquement de doigts. J'ai décidé très tôt de ne pas prendre le risque que ça se reproduise. Et de rester léger. Pas d'attachement, pas de cœur brisé. On ne peut pas perdre ce qu'on n'a pas ni ce qu'on se convainc de ne pas vouloir. Pour moi, ça a l'air de bien fonctionner.

Mais derrière le batifolage, Valérie décelait la profonde solitude de Tom.

— Et toi, pourquoi tu ne veux ni mari ni enfants ?

— Mes parents formaient un couple détestable, si bien que ce schéma ne m'a jamais attirée. J'étais l'arme dont ils se servaient l'un contre l'autre, l'enfant qu'ils n'avaient ni désirée ni aimée. Ils se sentaient obligés de rester ensemble pour moi et m'en voulaient. Je n'ai aucune envie de faire subir la même chose à un enfant ni de m'enfermer à vie dans une relation impossible comme ils l'ont fait. C'est trop de souffrances et de difficultés. J'ai vécu avec deux hommes dans ma vie, chaque fois la relation s'est étiolée sans que jamais je ne ressente un désir d'enfant. Je pense que certaines personnes ne sont pas faites pour être parents, et c'est mon cas. En revanche, j'ai tiré des enseignements de mon enfance, pour en faire quelque chose d'utile, et je me suis façonné une vie merveilleuse.

— C'est fou comme le passé finit toujours par nous rattraper, tu ne trouves pas ?

— Ce n'est pas inéluctable. Nous avons tous les deux transformé notre passé en quelque chose de positif. C'est déjà beaucoup. Tu as sauvé une enfant hier. Et je suis sûre que c'est ce que tu fais au quotidien à l'hôpital. Tu as plus que compensé la mort des parents et du frère que tu n'as pas pu sauver. Quant à moi, j'aide les autres avec mon travail. C'est un très bon moyen d'exorciser les fantômes de notre passé, tu ne trouves pas ?

Il hocha la tête, songeur. Valérie n'était pas amère et il admirait sa liberté.

Ils discutèrent de choses et d'autres, jusqu'au moment où elle dut retourner travailler. Ces prochaines semaines s'annonçaient chargées pour elle.

— On pourrait dîner ensemble, un soir ? proposa-t-il en toute simplicité.

Il ne restait plus rien de l'attitude de Don Juan qui lui réussissait habituellement si bien. Il était désormais conquis par une femme pour laquelle il éprouvait un respect profond. Quant à Valérie, elle était attirée par la personnalité qu'elle avait découverte derrière la façade de charmeur.

— Avec plaisir. D'ici quelques jours, quand les choses se seront un peu calmées. Et puis nous aurons tout le temps à San Francisco.

Cette idée lui plaisait beaucoup. Il la raccompagna jusqu'au métro et lui fit la bise. Elle lui sourit une dernière fois avant de s'engouffrer dans la station et de disparaître.

Les réunions de débriefing et d'analyses se poursuivirent toute la semaine, sous la pression des médias qui cherchaient à tout prix à interviewer n'importe qui jouant un rôle au centre opérationnel des secours. Les journalistes voulaient savoir ce qui avait mal tourné, comment la situation aurait pu être gérée autrement, et comment expliquer un bilan si lourd. Parmi eux, une journaliste était particulièrement tenace. Jacqueline Moutier avait traqué Bill, Stephanie, Tom et Wendy toute la journée, alors qu'ils n'avaient eu qu'un rôle d'observateurs. Mais la journaliste cherchait à déterrer un scandale pour désigner des coupables. Un soir, elle essaya de coincer Bill alors qu'il quittait le bureau, épuisé.

Elle le suivit jusqu'au métro et lui demanda à qui, selon lui, on devait imputer ce fiasco. Cette question déclencha la colère de Bill. Tout le monde avait fait de son mieux, pendant et après la prise d'otages. Elle fit remarquer qu'une famille avait perdu ses deux filles et que le pronostic vital de leur fils était engagé. Pour Bill, cette tragédie avait pour seul responsable le criminel et il était furieux qu'elle veuille rejeter la culpabilité sur quelqu'un d'autre et présenter les secours sous un mauvais jour. Elle incarnait tout ce qu'il détestait dans la presse.

— Pourquoi tenez-vous à rendre les choses plus difficiles encore ? la coupa-t-il, des éclairs les yeux. J'estime que la situation a été gérée de manière exemplaire et j'ai beaucoup d'admiration pour la façon dont chaque aspect de cette tragédie a été traité.

Cette journaliste était réputée pour faire du bruit et pour désigner des coupables selon d'injustes méthodes afin de rendre ses articles plus sensationnels, quel qu'en soit le coût humain. Il avait le plus grand mépris pour elle. Elle avait déjà écrit dans un de ses reportages que la police avait été trop lente à s'introduire dans le gymnase, et que si elle avait été plus rapide, plus de vies auraient pu être sauvées. Ce n'était pas vrai. Si les policiers étaient intervenus plus tôt, ils n'auraient pas eu assez de détails sur la configuration des lieux et le preneur d'otages, et davantage de vies auraient été perdues.

— Quel est l'intérêt d'accabler plus encore des familles endeuillées ? demanda-t-il d'un ton dur. Comment pouvez-vous dormir la nuit ?

Sa rebuffade ne sembla pas faire peur à la journaliste. Les autres médecins avaient quitté le bureau un peu avant lui. Stephanie était partie dîner avec Gabriel. Le traumatisme qu'ils avaient vécu les avait rapprochés, ce qui n'était pas forcément une bonne chose, mais ils avaient besoin de ce réconfort trouvé l'un auprès de l'autre. Wendy dînait chez Marie-Laure, et Tom et Paul étaient partis ensemble. Bill n'était pas d'humeur à se joindre à eux – il avait beaucoup de travail – et il rentrait tranquillement chez lui quand cette reporter tenace lui était tombée dessus. Un vrai pitbull. Elle lui demanda son nom, le nom de l'hôpital auquel il était affilié à San Francisco, puis elle disparut. Cette rencontre l'agaça sur tout le chemin du retour et, quand il put enfin passer à autre chose et se détendre dans son appartement, il appela ses filles. Il avait hâte de les voir ce vendredi. Après la tragédie dont il avait été témoin à l'école, elles lui étaient encore plus précieuses. Ce drame prouvait combien la vie était éphémère, une chose dont son métier l'avait pourtant rendu fort conscient. Il n'avait pas besoin de rappels si brutaux, et les images d'enfants blessés continuaient de le hanter. Faire des projets avec ses filles pour le week-end lui permit de s'apaiser un peu. Le concierge de l'hôtel Claridge lui avait trouvé trois billets pour une représentation de la comédie musicale *Annie*, et s'y rendre avec ses filles serait un réconfort.

Gabriel emmena Stephanie dîner au Voltaire ce soir-là, pour trouver un peu de répit dans l'ambiance élégante et intimiste du restaurant. Ils étaient tous les deux exténués et bouleversés par les événements du week-end, Stephanie davantage encore. Traiter des victimes d'accident de la route ou des traumatismes crâniens lambda n'avait rien à voir avec l'ampleur d'un massacre comme celui dont elle venait de faire l'expérience. Elle en avait eu peur pour ses propres enfants toute la semaine. Les forcenés armés n'étaient pas rares aux États-Unis. Cela semblait être un fléau mondial, et les membres du COZ et des autres groupes discutaient en détail du besoin de système de détection des risques bien plus précis. Stephanie et Gabriel étaient las de ces conversations sans fin, et elle était heureuse d'échapper un instant avec lui à ces considérations professionnelles. Il avait été très pris depuis l'attaque de l'école, ce qui lui donnait une bonne excuse pour ne pas rentrer chez lui – même s'il prétendait ne plus répondre de ses allers-venues à sa femme. Stephanie, quant à elle, essayait toujours de maintenir son mariage à flot, en théorie. Mais après deux semaines à Paris, ses certitudes étaient ébranlées. Gabriel faisait tout son possible pour instiller des doutes dans son esprit et soulevait des questions qui n'appelaient jamais des réponses faciles.

Plus la soirée avançait, plus ils se détendaient tous les deux. Les mets succulents et le service irréprochable les plongèrent dans un autre monde, en retrait du souvenir de la tragédie.

Le plat principal fini, Gabriel posa sa main sur celle de Stephanie et déclara :

169

— On pourrait avoir une vie merveilleuse ensemble.

Elle soupira.

— Si seulement on s'était rencontrés dix ans plus tôt...

Elle était sincère et, pourtant, elle n'aurait échangé Aden et Ryan pour rien au monde. Ce qui ne l'empêchait pas de se demander si Andy et elle étaient vraiment faits l'un pour l'autre.

Au bout de sept ans de mariage, tout semblait si difficile. Il s'était énervé quand elle avait refusé de rentrer à la maison après la fusillade. Il ne comprenait pas ce qu'elle avait traversé ni l'importance de la cohésion d'équipe, et ne saisissait pas davantage la mesure du travail en aval de la tragédie. À moins qu'un de ses enfants ne tombe gravement malade, il était hors de question qu'elle parte maintenant. Tout autre problème pouvait attendre. Et elle avait bien sûr une autre raison de rester : les sentiments qu'elle nourrissait à l'égard de Gabriel n'étaient pas négligeables. Impossible d'ignorer cette attirance. Et s'il était son âme sœur ? Son avenir ? Elle avait besoin de creuser ses sentiments pour comprendre s'ils étaient réels ou non. C'était si nouveau pour elle. Elle avait l'impression d'avoir été emportée par le vent sur des plages lointaines.

Après le dîner, ils se promenèrent le long de la Seine, main dans la main. La nuit était fraîche, mais Paris était si belle, illuminée par la tour Eiffel scintillant toutes les heures. Des drapeaux blancs flottaient dans les rues en hommage aux victimes de la fusillade, mais rien ne pouvait assombrir la splendeur de la ville. Ils s'arrêtèrent, et Gabriel l'embrassa. Après cette tragédie, ils avaient besoin l'un et l'autre de cet amour naissant pour se prouver que la vie continuait. Soudain, tout ce qu'elle voulait, c'était être avec lui. Il la raccompagna chez elle et, cette fois, la suivit dans l'escalier. Ensemble, ils franchirent le seuil de l'appartement et progressèrent jusqu'au lit à la lueur du clair de lune. Elle n'avait jamais éprouvé de désir si intense ni ce besoin de se sentir en sécurité dans les bras de quelqu'un, quoi qu'il en coûte. La passion leur faisait oublier tous les risques. Ils s'abandonnèrent sur le matelas, engloutis par un océan d'amour. Tout s'était passé si vite entre eux, et la fusillade les avait propulsés l'un vers l'autre avec une force qui anéantissait toute raison et balayait le reste. Quand l'orgasme les submergea, ce fut comme renaître ensemble. Après ce moment, elle sut qu'elle ne pouvait plus vivre sans lui.

— Je t'aime tant que c'en est douloureux, lui confia-t-elle à l'oreille.

Il lui caressa les cheveux avec amour et resserra son étreinte. Elle pouvait sentir son cœur battre contre le sien.

— Je ne ferai jamais rien qui puisse te blesser, Stephanie.

À entendre la façon dont il prononçait son nom, elle avait toute foi en lui.

Il passa la nuit avec elle, et ils refirent l'amour au matin. Elle ne l'avait pas vu envoyer de messages à sa femme ni appeler chez lui, ce qui confirmait qu'il était aussi séparé et libre qu'il le prétendait. À présent, il était sien si elle voulait de lui. Elle s'était abandonnée à lui. L'amour n'avait jamais été si passionné avec Andy.

Ils partirent au travail à vélo dans l'air frais du matin, ensemble. Avec un sourire comblé, ils pédalaient au milieu de la circulation, profitant des arrêts pour s'embrasser. Ils firent un détour par une petite boulangerie près du bureau pour prendre un café et des croissants. Malgré ce qu'ils venaient de traverser et les obstacles qui les attendaient, Stephanie ne s'était jamais sentie si heureuse. En cet instant, elle appartenait à Gabriel. San Francisco semblait se trouver dans une autre galaxie.

Quand Gabriel et Stephanie arrivèrent au bureau, les autres comprirent qu'ils avaient passé la nuit ensemble. Leur intimité nouvelle était flagrante. Personne ne fit de commentaires et, peu après leur arrivée, Bruno Perliot vint trouver Marie-Laure, l'air grave. Le capitaine de police avait des sujets importants à traiter avec elle et voulait s'assurer qu'elle avait surmonté le traumatisme sans trop de ravages. Même pour des professionnels, l'événement avait été éprouvant, surtout pour Marie-Laure qui était en première ligne avec ses équipes. Valérie avait proposé des séances de thérapie à tous ceux qui le souhaitaient, mais Marie-Laure n'avait pas de temps pour ça.

Bruno écouta attentivement le rapport de cette dernière et ses doléances sur la posture agressive de la presse. L'événement était scruté au microscope par les journalistes, avides d'une bavure. Bruno avait l'habitude. Il y avait quelque chose de très français dans cette attitude critique. Les médias avaient interrogé les familles – surtout Jacqueline Moutier, que Bruno détestait cordialement depuis des années. Ils avaient publiquement fait part de leurs désaccords à de nombreuses occasions.

— J'ai vu qu'un de vos Américains lui avait parlé, dit Bruno.

— Je leur ai pourtant demandé expressément de ne pas adresser la parole aux journalistes, répondit-elle, surprise et contrariée.

Elle appréciait Bruno Perliot et estimait qu'il avait fait un travail exceptionnel. Il s'était montré humain, empathique, efficace et aussi précautionneux que possible dans ces circonstances. Il n'avait pas laissé ses hommes pénétrer la zone sans la préparation adéquate. Elle n'avait aucun reproche à formuler concernant son commandement, et le respect était mutuel. Elle était surprise qu'il ait fait le déplacement jusqu'à son bureau pour lui parler et le trouvait fort aimable.

— Il n'avait que des éloges à notre égard, dit Bruno en lui tendant le journal avec satisfaction. On dirait que Moutier l'a énervé autant que moi. Si j'arrive à la faire virer, ce sera un des grands bonheurs de ma carrière.

Marie-Laure pouffa et se plongea dans l'article en question. Elle fut surprise de constater que Jacqueline Moutier avait cité Bill dans les grandes longueurs, lui qui accordait son soutien plein et entier aux autorités parisiennes. Alors qu'elle parcourait la page, la perplexité se peignit sur son visage et elle leva les yeux vers Bruno.

— J'ignorais complètement qui il était. Je n'ai jamais fait le lien avec son nom de famille. Il est très discret et obnubilé par son travail.

Elle était également impressionnée par ses réponses à la journaliste.

— Ce qui me surprend, c'est qu'il ne loge pas au Ritz ou au George V, commenta Perliot, amusé.

La reporter avait bien fait son boulot et avait déterré des informations croustillantes sur Bill. Il appartenait à la grande famille des Browning, propriétaires de la Browning Oil Company – et en était l'un des deux héritiers. On apprenait dans le journal que Bill Browning était un traumatologue à l'expérience considérable, qui œuvrait actuellement à l'hôpital de San Francisco. Mais aussi qu'il devait hériter de l'une des plus grandes fortunes d'Amérique, estimée à plusieurs milliards de dollars – Jacqueline Moutier s'était risquée à avancer un montant au hasard. Elle énumérait la longue liste des propriétés immobilières de la famille. L'article rapportait qu'il était divorcé de la fille d'un lord anglais et père de deux enfants. En conclusion figurait une de ses déclarations les plus passionnées qui exprimait son admiration pour les services de secours parisiens.

— Au moins, elle ne nous a pas traînés dans la boue, pour une fois, décréta le capitaine de police. Mais ça ne va pas durer. Elle aura déterré un nouveau scandale sur chacun d'entre nous avant ce soir. Elle a horreur des articles élogieux. Je pense qu'elle était juste surexcitée de dévoiler son identité, car il est si discret. Toutes les Parisiennes vont le convoiter maintenant. Elle a écrit ça pour l'embêter, j'en suis certain.

Bruno se leva. Il avait du pain sur la planche, et le véritable but de sa visite avait été de prendre des nouvelles de Marie-Laure et de s'assurer qu'elle tenait le coup.

Elle le remercia pour sa venue et, après son départ, se dirigea vers le bureau qui avait été attribué à Bill.

— Merci pour ces déclarations élogieuses à la presse, dit-elle avec gentillesse.

Il leva vers elle un regard surpris.

— Cette abominable journaliste les a finalement imprimées ? Elle m'a suivi jusqu'au métro hier, et j'ai perdu mon sang-froid. Elle m'insupporte. Typiquement le genre de fouineuse qui ne s'intéresse qu'au scandale, sans se soucier des conséquences humaines. Je lui ai dit le fond de ma pensée, combien je vous avais trouvés admirables en situation de crise. Ce n'était évidemment pas ce qu'elle voulait entendre, alors je suis surpris qu'elle ait publié mes déclarations.

— Moi aussi. Je peux vous faire traduire l'article, si vous le souhaitez.

— Je suis bien incapable d'aligner deux mots en français, mais fort heureusement je suis capable de le lire.

Il la suivit pour récupérer le journal, puis retourna à son poste pour le lire. Des réunions étaient programmées dans l'après-midi, mais cette matinée était plutôt calme pour nos quatre Américains – une première depuis leur arrivée. Un peu plus tard, il débarqua dans le bureau de Marie-Laure, tremblant presque de rage.

— De quel droit publie-t-elle ce torchon ? Ma carrière n'a absolument rien à voir avec ma famille ni mon supposé héritage. Ça ne regarde que moi. Ça fait treize ans que je suis médecin, et cette histoire n'a jamais été mentionnée avant. J'ai pris garde de ne pas dévoiler mes origines. Tout cela n'a rien à voir avec mon travail et ne peut que me compliquer la vie. Personne ne va me prendre au sérieux dorénavant, si l'on pense que je suis à la tête d'une telle fortune. Et je vais me retrouver avec toutes les croqueuses de diamants de la planète collées à mes basques.

Il fulminait et semblait au bord des larmes. Marie-Laure comprenait combien le secret de son identité lui était précieux, mais c'était trop tard. Malgré ses tentatives d'apaisement, il était encore furieux lorsqu'il quitta son bureau et il décida d'aller prendre l'air, le temps de faire redescendre la colère.

L'article circula dans le service, et tout le monde fut étonné d'apprendre l'ampleur de sa fortune. Gabriel dit qu'il était content pour lui, mais que tout cela importait peu. Bill restait le même homme à ses yeux, ni meilleur ni moins bon. Il se fichait bien que Bill appartienne au clan Browning Oil. Les autres étaient du même avis, mais le sujet resta un moment sur toutes les lèvres. Paul Martin le trouvait bien chanceux, mais Gabriel objecta que, maintenant que l'information était révélée, il allait être confronté à des amitiés intéressées. Autant d'argent changeait la façon dont les gens vous percevaient. Il y avait toujours des jaloux pour souhaiter votre chute ou la provoquer, et des pique-assiette pour vous extorquer quelque chose. La vie était plus simple quand personne ne connaissait l'état de votre compte en banque. En cela, Bill avait raison.

Bill était toujours en colère quand il revint de sa promenade. Personne ne lui prêta attention et, bien qu'ils aient tous lu l'article, ils firent mine de n'être au courant de rien. Il redoutait surtout que l'article soit racheté par un média américain, et que tout l'hôpital de San Francisco apprenne son lien avec Browning Oil. Cette perspective ne pouvait rien lui apporter de bon. Il avait profité de l'anonymat pendant toutes ces années et ne pouvait rien faire pour contenir cette notoriété nouvelle.

Alors qu'il s'installait à son bureau, fulminant encore, Wendy traversa la pièce pour le rejoindre, faisant fi de sa fureur manifeste.

— Je sais que tu es contrarié par l'article, dit-elle à voix basse, mais il faut te rendre compte que rien de négatif n'a été dit sur toi. Ça te fait surtout passer pour quelqu'un de sérieux et travailleur. Et les rumeurs de ce genre finissent toujours par passer.

— Pas dans ce cas, non. Ils le ressortiront à chaque nouvel article me concernant et, désormais, mon plus grand accomplissement sera d'être né dans une famille riche, ce qui n'est pas de mon fait.

— Non, en effet. C'est le hasard de la naissance. Mais on ne parle pas non plus d'une famille qui a bâti sa fortune sur la vente illégale d'armes ou sur le trafic d'esclaves sexuelles. Ta famille fait partie des grosses fortunes du pays, et tu es un médecin consciencieux qui vit à l'ombre des projecteurs. Une fois que la surprise générale va retomber, il n'y aura pas grand-chose de plus à raconter.

— Je ne veux pas que les femmes viennent frapper à ma porte pour cette raison ni que mes filles deviennent des cibles de kidnapping.

En cet instant, il était particulièrement rassuré que ses enfants ne vivent pas à San Francisco, et que le père d'Athena – lui-même étant à la tête d'une coquette fortune – ait embauché du personnel de sécurité pour sa fille. Leurs origines étaient leur seul point commun, si bien qu'il ne l'avait jamais soupçonnée de vouloir profiter de lui – leur couple avait rencontré bien assez de problèmes par ailleurs. En tout cas, l'avidité des autres n'était pas quelque chose dont il voulait se soucier. C'était plus simple quand personne ne connaissait le lien avec sa famille, et la fortune dont il hériterait un jour. Il avait déjà touché des sommes colossales à 30 et 35 ans, et recevrait encore de l'argent pour son quarantième anniversaire, mais ça ne regardait que lui. À la façon dont il vivait et s'habillait, c'était difficile à soupçonner. Il était simple et humble.

— Je comprends ton inquiétude. J'ai grandi dans une bourgade du New Hampshire où mon père avait sa petite affaire. Avec mon oncle, ils se sont lancés dans quelques entourloupes un peu louches. Rien de trop grave, mais suffisamment pour leur attirer des ennuis. Mon père a fait trois ans de prison pour évasion fiscale. C'était l'histoire la plus sensationnelle qu'ait connue notre ville depuis que Thomas Jefferson y avait passé une nuit. Son nom faisait la une des journaux locaux, et je croyais mourir de honte à chaque fois que quelqu'un le mentionnait. Ça a duré un moment. Mais à force, les gens se lassent et oublient. Mon père est mort il y a deux ans, et j'avais peur qu'on déterre cette histoire à la publication de sa nécrologie. Il a accompli des choses bénéfiques pour la ville durant ses dernières années, et la collectivité lui a accordé l'adieu d'un héros, sans un mot sur ses démêlés judiciaires. Alors non, les gens n'oublieront jamais d'où tu viens, ça fait partie de ton identité, mais s'ils te connaissent vraiment, ça n'aura pas d'importance pour eux. Crois-moi.

Touché par de telles paroles, il la remercia. Il était bien plus apaisé quand ils partirent pour leurs réunions de l'après-midi. Ses collègues l'appréciaient et le respectaient d'autant plus maintenant qu'ils connaissaient sa lignée, car jamais il ne s'en était vanté ni ne s'était montré pompeux ou snob.

Seul Paul, le jeune boute-en-train de la bande, osa le taquiner sur le sujet alors qu'ils rendaient visite à des victimes de la fusillade.

— Maintenant que ton secret est révélé, Bill, je me demandais si tu ne pourrais pas te payer une Ferrari pour m'emmener draguer les filles.

Tout le monde retint son souffle, appréhendant la réaction de Bill, mais il éclata d'un rire sincère.

— Je t'en offrirai une à mon départ. Moi, je suis plutôt deux-chevaux, rétorqua Bill.

Paul prit un air excédé.

— Il y en a vraiment qui ne savent pas comment dépenser leur argent. Je ne vois pas quel genre de femme accepterait de monter dans ce tas de ferraille.

— Mon genre de femme, rétorqua Bill.

Tout le monde éclata de rire et se détendit. Paul avait brisé la glace, après quoi les relations entre Bill et le reste de l'équipe revinrent à la normale. L'héritier de Browning Oil était oublié. Leur réaction ne fit qu'augmenter le profond respect et l'affection que Bill éprouvait déjà pour eux. Il espérait que les choses se passent aussi naturellement à San Francisco, si la rumeur parvenait aux oreilles de ses collègues de l'hôpital.

Quand le vendredi arriva, Bill quitta son bureau et prit l'Eurostar pour retrouver ses filles à Londres. La semaine avait été éprouvante pour nos quatre Américains, et ils espéraient trouver un peu de repos pendant le week-end. Marie-Laure et Wendy avaient prévu de rendre visite aux enfants blessés, puis d'aller dîner ensemble. La mère de Marie-Laure était venue en renfort pour garder ses enfants, ce qui lui dégageait un peu de temps libre.

Valérie devait retrouver des groupes de soutien psychologique et voulait rendre visite à Solange. La jeune fille refusait toujours de retourner à l'école, et sa grand-mère disait que la mort de son père l'avait plongée dans un état dépressif. Tom essayait de convaincre Valérie de prendre sa soirée pour qu'ils aillent dîner dans un endroit tranquille. Il s'inquiétait des effets du surmenage. Elle gérait les programmes de soutien psychologique, rendait visite aux victimes, rencontrait les parents endeuillés et avait même accordé deux interviews éprouvantes à la télévision. Un poids immense pesait sur ses épaules, et Tom souhaitait l'en soulager autant que possible. Il mit ses propres projets de côté afin de rester disponible pour elle, ce dont elle lui fut reconnaissante. C'était un homme nouveau maintenant qu'il avait fait tomber le masque de clown avec lequel il était arrivé.

Paul était donc livré à lui-même pour sa tournée des bars mais, après la semaine qu'il venait de vivre, il n'était pas d'humeur à draguer. Personne ne l'était. Une chape de plomb s'était abattue sur la ville et tout le pays. Stephanie avait prévu de rester à l'appartement avec Gabriel. Le couple était désormais inséparable. En moins de deux semaines étourdissantes, Gabriel était devenu toute sa vie.

10

Le week-end de Valérie était aussi chargé que sa semaine et, après une demi-douzaine de coups de fil et autant de SMS, elle consentit à ce que Tom se joigne à elle pour les visites aux enfants blessés. Il était très doué avec les plus jeunes. En revanche, elle fit seule ses visites aux parents endeuillés. C'était la partie la plus délicate de son travail.

Sa visite auprès de Solange Blanchet lui serra le cœur. La jeune fille allait être traumatisée à vie. Elle portait le lourd tribut de la culpabilité pour l'acte de son père. Valérie avait essayé de l'en décharger, mais cela exigeait du temps et beaucoup de soutien. Suivant le conseil de Valérie, l'adolescente avait accepté de changer d'école et d'utiliser le nom de sa mère. Le nom de son père était souillé par le massacre et désormais haï dans le pays. Valérie avait conscience qu'il ne s'agissait que des premiers pas pour Solange. Un long cheminement l'attendait pour se libérer du passé. Ce serait le travail d'une vie, jusqu'à peut-être fonder sa propre famille.

Valérie retrouva Tom après sa rencontre avec Solange, et ils dînèrent ensemble. Évidemment, ils parlèrent des enfants et des chirurgies invasives qu'ils devraient subir pour réparer les ravages de la kalachnikov. Des années sombres les attendaient, une terrible injustice. Mais au moins, ils étaient en vie.

Après dîner, ils firent une longue promenade qui les mena jusqu'à la rue du Bac, où habitait Valérie. Il se remémora l'appartement chaleureux qui avait accueilli leur première soirée entre collègues, mais elle ne l'invita pas à monter et fut très claire sur ses raisons.

— Je ne veux pas que l'un de nous vienne à le regretter quand les émotions soulevées par la tragédie seront retombées. Nous avons affronté un traumatisme ensemble cette semaine. Ce serait facile de trouver du réconfort au lit, et je suis sûre que ce serait très agréable...

Elle lui sourit avec malice, trahissant son intuition qu'il était un incroyable amant.

— ... mais je ne veux pas fausser les choses entre nous, si ça te va. Ce n'est pas un jeu, une plaisanterie ou une béquille émotionnelle qu'on jette ensuite. J'ai le sentiment un peu fou que nous pourrions compter l'un pour l'autre et je ne veux pas gâcher ça en précipitant les choses. J'espère que ce que je te dis ne t'effraie pas. Je sais que tu n'as jamais eu de relations sérieuses auparavant et que tu en es fier. Mais je ne veux pas être un nom de plus sur ton tableau de chasse. Nous avons passé l'âge.

Tom sentit un frisson lui parcourir l'échine.

— Je n'en suis pas aussi fier que tu le crois. Je me vante de n'être jamais tombé amoureux, mais c'est une manière de dissimuler le fait que je n'en ai jamais eu le courage.

Cette réponse ne la surprit guère et elle en apprécia la franchise d'un hochement de tête.

Tom était d'accord avec elle. Peu importe ce qui les liait en cet instant, amitié ou romance, il voulait que ça dure. C'était ce qu'il aimait tant chez elle, son pragmatisme et sa sincérité audacieuse. Lui qui, toute sa vie, avait eu peur de dévoiler sa vulnérabilité.

Elle autorisa un baiser et ils s'embrassèrent longuement. Puis, avec un sourire mystérieux qui fit chavirer Tom, elle disparut derrière la lourde porte cochère. Il rentra seul à pied, songeant à tout ce qu'elle lui avait dit.

Quand il atteignit son appartement, il n'appela pas Paul pour sortir dans les bars. Il ne se servit même pas un verre. Il fila directement au lit, ne pensant qu'à Valérie.

Ce week-end londonien avec Pip et Alex était exactement ce dont Bill avait besoin. Il ne croisa pas leur mère en allant les récupérer. Elle était partie en voyage avec Rupert. Il expliqua la fusillade dans l'école à ses filles aussi simplement qu'il le put, particulièrement à Pip qui lui posait beaucoup de questions à ce sujet maintes fois abordé en classe. Alex, quant à elle, était trop jeune pour s'en soucier. Cette discussion attristait Bill. Il leur parla des enfants qu'il avait réussi à sauver.

— Tu es un héros, papa ! déclara Pip avec fierté.

— Non, tout le monde a travaillé très dur pour les sauver. C'est toute mon équipe qui est héroïque.

Pour le reste du week-end, leurs esprits furent bien trop occupés ailleurs pour revenir à ce sujet. Il les emmena à une exposition d'art pour enfants, puis à la patinoire et enfin à une merveilleuse représentation d'*Annie*. La compagnie de ses enfants conférait à Bill un sentiment de retour à la normalité. Le dimanche, ils commandèrent un copieux petit déjeuner au room-service, avant d'aller se promener au parc et de manger sur le pouce dans leur pizzeria préférée pour terminer le week-end en beauté. Le temps passait trop vite, surtout quand on enchaînait les activités. Il avait le don de les divertir.

Les filles furent tristes de le voir partir, mais elles avaient hâte de le rejoindre à Paris le week-end suivant : Disneyland était toujours au programme. Bill avait quelques craintes sur les risques que présentait un parc d'attractions en cette période, car on n'était pas à l'abri de tueurs inspirés par la tragédie. Tout était possible. Mais la sécurité de Disneyland était si fiable qu'il décida que ses filles n'y seraient pas plus en danger qu'ailleurs. Athena ne s'en inquiétait pas davantage.

Serein et heureux, comme toujours après les avoir vues, il prit le train et arriva à 19 heures devant l'immeuble, où il croisa Wendy qui rentrait également.

— Comment c'était, Londres ?

— Génial ! On a vu la comédie musicale *Annie*. Je connaissais déjà les chansons par cœur, confia-t-il avec un léger embarras. Et ton week-end ?

— J'ai vu Marie-Laure et ses enfants. Je devais passer un peu de temps avec Valérie aussi, mais elle était débordée.

— Ça ne m'étonne pas, et ça devrait durer un moment, fit-il remarquer en gravissant l'escalier.

Il se sentait un peu plus vulnérable en parlant avec Wendy, maintenant que ses liens de parenté avaient été révélés. Toute sa vie, il s'était fondu dans la normalité, gêné par la fortune démesurée de sa famille. Une fois le palier atteint, la main sur la poignée, il proposa :

— Ça te dirait d'aller dîner au bistro du coin ?

Il n'y avait aucune once de séduction dans son invitation, ce qui la rendit très naturelle. Wendy avait l'impression de se faire un ami. Après un petit temps d'hésitation, elle accepta. Elle n'avait rien d'autre au programme ce soir-là, à part une manucure et un masque capillaire.

— Avec plaisir.

Elle déposa chez elle le lait, les œufs et la baguette qu'elle venait d'acheter pendant qu'il laissait sa valise, et ils redescendirent l'escalier ensemble quelques minutes plus tard. Elle lui parla de l'exposition Picasso qu'elle avait vue et d'une messe à l'église de la Madeleine, en hommage aux victimes de la fusillade.

La tragédie avait beaucoup affecté l'atmosphère et le moral de la ville. Les obsèques des victimes avaient commencé. Beaucoup avaient été enterrées au Père-Lachaise, et quelques autres dans les cimetières environnants. Le tout pesait lourdement sur les Parisiens. Le monde entier était secoué, car on se rendait compte d'une vulnérabilité universelle. Bill y avait songé au théâtre avec ses filles. Mais les quelques mails avec Athena concernant les nouvelles mesures de sécurité mises en place par leur école l'avaient rassuré. Elles semblaient plus rigoureuses en Angleterre qu'en France, car les Britanniques étaient confrontés à ce genre de situation depuis l'époque explosive de l'IRA.

Wendy voyait qu'il s'était détendu depuis la parution de l'article. Il espérait encore que le reportage ne soit pas vendu au *San Francisco Chronicle*, mais ne s'appesantissait pas sur le sujet.

Quand il lui demanda si elle avait des nouvelles de son petit ami, elle fut interloquée puis répondit que non, sans fournir d'explication.

Ils partagèrent un éclair au chocolat en dessert, et il lui proposa de l'accompagner avec ses filles à Disneyland.

— Les questions de sécurité me préoccupent un peu, confia-t-il, mais la réputation du parc est fiable, et les filles ont hâte d'y aller.

— Ce sera avec plaisir, répondit-elle. Je n'ai pas beaucoup l'occasion de fréquenter des enfants. C'était super de voir les garçons de Marie-Laure ce week-end.

Ils sont adorables. Ils ont 5, 8, et 11 ans, et ne doivent pas être faciles à gérer sans leur père. Mais elle a l'air de bien s'en sortir, et sa mère lui donne un coup de main de temps à autre.

— Je regrette de ne pas voir les miennes plus souvent, alors pour compenser on enchaîne les activités quand elles viennent à San Francisco. Beaucoup de camping.

Ils continuèrent à bavarder avec bonne humeur sur le chemin du retour, et il l'abandonna devant sa porte. Ils étaient déjà à la moitié de leur séjour, ce qui leur semblait difficile à croire. Ils avaient l'impression d'être là depuis des mois tant leurs journées avaient été remplies. Et le rythme n'était pas près de ralentir. Sur un plan personnel, des histoires naissaient : Gabriel et Stephanie s'étaient lancés dans une liaison enflammée, et Bill devenait ami avec Wendy. Deux semaines bien remplies !

Après un week-end torride avec Stephanie, Gabriel devait rentrer chez lui le dimanche soir. Ses enfants avaient beaucoup d'activités en semaine, mais il aimait les retrouver autour d'un dîner en famille. Stephanie serait de toute façon épuisée. Ils faisaient l'amour plusieurs fois par jour, et plus encore la nuit. Sa vie sexuelle n'avait jamais été si folle. Gabriel était un homme très sensuel et infatigable. Il proposa qu'elle s'installe à l'hôtel avec lui à San Francisco, ce qui la prit de court et la ramena à la réalité.

— Gabriel, je ne suis pas dans ta position. Mon mari s'attend à ce que je rentre à la maison et que je redevienne sa femme. Il ne sait pas que la situation a changé.

Il sembla contrarié en entendant ces mots à la table du petit déjeuner, dans la cuisine minuscule.

— Tu m'as pourtant dit que les choses n'allaient pas entre vous et qu'il parlait de séparation.

— C'est vrai, c'est ce qu'il a dit, à un moment où il était en colère contre moi. Et ça ne fonctionne pas entre nous, c'est vrai aussi. Mais nous n'avons pris aucune décision, nous n'avons tiré aucune conclusion. Il va falloir que j'aie cette conversation avec lui en rentrant. Il y a beaucoup de facteurs à prendre en compte, quand on a deux enfants en bas âge.

Elle savait qu'Andy serait dévasté et n'était pas pressée d'en être témoin. Pour l'instant, elle profitait pleinement du romantisme de Paris, mais quand elle rentrerait à la maison il lui faudrait faire face aux conséquences. Si leur liaison était plus qu'une passade, ils auraient tous les deux un mariage à dénouer. Elle craignait tout de même que cette histoire ne finisse mal pour elle.

— Tu es sûr de ce que tu veux ? lui demanda-t-elle, l'air sérieux.

Il s'offusqua de la question, de toute évidence blessé.

— Je t'ai attendue toute ma vie, Stephanie. Je ne vais pas te laisser partir maintenant. Tu as des doutes sur nous deux ?

— Non, mais divorcer n'est pas une décision à prendre à la légère.

— C'est ce que je veux, et j'espère que toi aussi.

— Oui, mais j'ai besoin de temps. Je dois trouver le bon moment pour en parler à Andy.

Il allait trop vite pour elle. Stephanie était folle amoureuse, mais il y avait beaucoup de détails pratiques à prendre en compte avec Andy, comme la garde de leurs enfants. Surtout si elle emménageait en France. Elle savait qu'Andy en aurait le cœur brisé. Elle voyait bien combien c'était douloureux pour Bill, même avec des filles pourtant un peu plus âgées qu'Aden et Ryan. Elle n'imaginait pas leur imposer des allers-retours transatlantiques, en tout cas pas avant quelques années. En cette période où la sécurité internationale était un enjeu sensible, l'idée de laisser ses enfants prendre l'avion seuls était terrifiante.

— Je ne pourrai pas aller et venir à ton hôtel à ma guise quand tu seras à San Francisco. Ça serait horrible pour Andy. Nous devrons rester discrets.

Gabriel réfléchit un instant.

— Dans ce cas, peut-être que tu devrais lui dire après mon départ. Comme ça, tu pourras passer tes nuits à l'hôtel avec moi et lui faire croire que tu es de garde tous les soirs.

C'était malhonnête, mais cette solution présentait l'avantage de reporter l'annonce explosive.

— Pendant un mois ? Impossible.

Elle n'avait jamais menti à Andy, et elle n'aimait pas l'idée de commencer maintenant. Mais elle n'al-

190

lait peut-être pas avoir le choix, pour faire régner le calme le temps que Gabriel s'en aille. Elle ne voulait pas de scandale ni de scène de ménage quand Gabriel serait à San Francisco. Pas la peine de transformer sa liaison en un triangle amoureux digne d'un feuilleton télévisé, et d'imposer ce cirque aux enfants. Elle voulait faire les choses proprement et, pour ça, elle avait besoin de temps. Gabriel s'approcha d'elle et fit glisser de ses épaules l'étoffe de son peignoir, avant de poser ses lèvres sur son sein. La caresse suffit à la distraire de toutes ces considérations dont il ne voulait pas entendre parler. Un instant plus tard, le peignoir était par terre. Gabriel plaqua Stephanie contre un mur et elle l'entoura de ses jambes. De là, il la porta jusqu'au canapé, et ils ne pensèrent plus à rien d'autre qu'à l'amour. Elle était incapable de réfléchir clairement. Ils atteignirent le lit et firent l'amour, encore. C'était un amant extraordinaire et puissant.

Elle remit le sujet d'Andy sur le tapis dans l'après-midi, quand ils sortirent se promener. Elle avait pesé le pour et le contre et pris une décision.

— Je vais lui parler après ton départ. Si je le fais avant, ce sera le bazar pendant un mois. Mais je ne pourrai pas dormir avec toi tous les soirs. Je dois passer du temps avec mes enfants. Je viendrai te voir aussi souvent que possible.

Ce n'était pas ce qu'il voulait, mais elle ne pouvait pas lui proposer mieux. Il restait un autre sujet à éclaircir :

— Comment vais-je faire, d'un point de vue professionnel, si j'emménage à Paris avec toi ?

En deux semaines, ils s'étaient tant précipités qu'ils rencontraient des obstacles immenses bien plus tôt que les autres couples.

— Comment vais-je exercer la médecine en France ? Je ne peux pas reprendre mes études de zéro.

— Je ne pense pas que ça sera nécessaire. Il faudra que tu transmettes tes diplômes, ton CV, que tu passes un concours et que tu apprennes le français. C'est faisable. En attendant d'obtenir ta certification, je devrais pouvoir te trouver un poste de consultante.

Cela ne semblait pas si inaccessible, et elle en fut surprise mais rassurée. Elle n'aurait pas à faire une croix sur sa carrière pour lui, en plus de sacrifier son mariage. Malgré tout, ça n'enlevait rien à l'énorme adaptation qu'exigeait l'exercice de la médecine dans un pays étranger, et un tout nouveau départ. Il fallait qu'elle y réfléchisse aussi, si elle ne voulait pas finir par lui en vouloir un jour.

— Tu veux d'autres enfants ? lui demanda-t-il.

Il n'avait pas songé à lui poser la question plus tôt. Elle était assez jeune pour tomber encore enceinte, mais elle fit signe que non. À eux deux, ils en avaient déjà six, ce qui était bien suffisant pour Stephanie – même si cette perspective ne faisait pas peur à Gabriel et qu'il n'aurait pas dit non à un enfant avec elle.

— J'ai déjà suffisamment de mal à m'organiser avec les deux que j'ai déjà, répondit-elle.

Sa carrière restait un obstacle de taille. Ce n'était pas lui qui allait renoncer à son poste pour déménager à San Francisco. Gabriel occupait une fonction gouvernementale prestigieuse et risquait de perdre sa retraite avantageuse s'il démissionnait maintenant. À 43 ans, il était sur une trajectoire ascendante. Il n'avait plus de cabinet médical à son nom, mais un poste clé dans la santé publique, et elle savait que c'était très bien vu en France. Ce serait à elle de déménager et de souffrir des changements et ajustements qui en découleraient. Elle n'excluait pas cette possibilité d'emblée, mais elle était consciente qu'il fallait y réfléchir sérieusement et ne pas céder à une folle pulsion qu'elle regretterait ensuite.

— On trouvera une solution, dit-il avec douceur sur le chemin du retour.

Il avait totalement confiance en leur avenir. Un bras passé autour de la taille de Stephanie, il la raccompagna chez elle pour faire l'amour. Leur passion occultait tout le reste, et les détails pratiques ne semblaient plus si importants. Elle se sentait ivre d'amour quand il la quitta à 18 heures pour aller voir ses enfants. Après son départ, elle fit une sieste. À son réveil, elle appela Andy et les garçons. Ils avaient prévu de rendre visite à la mère de celui-ci pour un atelier pâtisserie. Ils semblaient heureux et bien occupés, et elle se sentit totalement déconnectée de leur réalité. Ils étaient trop loin.

Après avoir eu les garçons, sa conversation avec Andy lui sembla guindée. Elle savait ce qui l'attendait, mais pas lui. Et elle allait devoir attendre deux mois pour lui dire. Deux semaines à Paris. Deux semaines de pause à la maison. Un mois où Gabriel serait à San Francisco. Elle avait l'impression de se transformer en menteuse compulsive. Car c'était Gabriel qu'elle aimait à présent, pas son mari. Elle espérait que Gabriel avait raison et que tout finirait bien.

11

Gabriel et Stephanie étaient assoiffés l'un de l'autre quand ils se retrouvèrent au bureau le lundi matin, après seulement une nuit de séparation. Elle comprit alors combien il serait difficile de ne pas dormir avec lui chaque soir à San Francisco. Elle allait devoir aviser dans la discrétion si elle ne voulait pas de scandale entre Andy et Gabriel. Et si tout roulait comme prévu, elle demanderait le divorce dès le départ de son amant. Il fallait encore qu'elle se renseigne sur la poursuite de sa carrière médicale en France. Et il faudrait qu'elle commence immédiatement à suivre des cours de français pour passer le concours. Mais il était hors de question de bâtir une vie avec Gabriel à Paris sans exercer la médecine. C'était ce qu'il y avait de plus important pour elle. Elle allait devoir trouver une école pour les garçons, aussi. Tant de choses auxquelles penser. Cette décision s'annonçait la plus cruciale de toute sa vie.

La fatigue de la semaine se lisait sur les traits de Marie-Laure. Devant encore gérer les répercussions du drame dans la presse, elle rencontra de nombreuses personnalités politiques et fut même convoquée à l'Élysée pour répondre personnellement aux interrogations du président. Elle maintenait également un contact étroit avec les familles des victimes. Ses deux assistants ne se consacraient qu'à cette dernière fonction.

Malgré une longue réunion de bilan prévue pour la journée du lendemain, Bruno passa la voir le lundi, se rendant disponible pour toutes ses questions. Elle fut impressionnée par tant d'égards. Il passa une demi-heure dans son bureau, et Marie-Laure en profita pour le remercier de sa gentillesse et lui proposa de dîner chez elle le dimanche suivant. Elle venait de lancer la même invitation à l'Équipe des Huit, comme ils se surnommaient maintenant. Ce serait le dernier week-end des Américains à Paris, et elle tenait à les remercier pour leur collaboration exceptionnelle. Elle griffonna son adresse sur un bout de papier et lui proposa de venir accompagné. Bruno, ravi de l'invitation, répondit qu'il viendrait seul, étant célibataire. À 49 ans, il était divorcé et père de trois grands garçons partis étudier hors de Paris.

Quand Valérie entra dans le bureau peu après le départ de Bruno, elle ne put s'empêcher de taquiner Marie-Laure.

— Je vois que nous bénéficions d'une protection policière très rapprochée ces derniers temps…

— Mais non, c'est simplement un homme gentil qui s'inquiète pour nous, répondit-elle naïvement.

Valérie s'esclaffa.

— Sur combien d'affaires avons-nous collaboré avec la police, et combien de capitaines sont passés prendre de nos nouvelles après un accident ?

Marie-Laure s'empourpra.

— Cette fois-ci, c'était une fusillade, c'est différent.

— Certes, mais je pense qu'il t'apprécie. Un peu plus que comme simple responsable des opérations de secours... Si tu étais un homme, il ne serait pas là.

— Ne dis pas de bêtises. Et puis il est bien plus âgé que moi.

— Et alors ? C'est un problème ?

— Non, reconnut Marie-Laure. Mais je ne crois pas qu'il s'intéresse à moi de cette façon-là.

— Tu veux parier ? Je pense que tu devrais sortir avec lui.

— Il ne me l'a même pas proposé !

Marie-Laure ne comptait pas accorder de crédit aux théories romantiques de Valérie. Elle n'avait pas le temps pour un petit ami. Son travail était bien assez prenant, et elle avait trois enfants pour la tenir occupée le soir.

— Ça ne saurait tarder, prédit Valérie en sortant.

Le lendemain, le doute s'instilla dans l'esprit de Marie-Laure. Bruno était extrêmement attentionné avec elle, et plein d'égards à l'issue du long bilan. Il insista sur sa joie de participer au dîner chez elle. Valérie lui lança un regard lourd de sous-entendus après son départ.

Ce fut une semaine chargée. Ils devaient gérer les répercussions administratives, et la presse ne les lâchait toujours pas. Ils étaient tous lessivés quand arriva le vendredi soir. Bill alla récupérer ses filles à l'arrivée de l'Eurostar. Il avait réservé deux chambres dans un petit hôtel de la rive gauche, car il n'y avait pas de place pour elles dans l'appartement. La chambre d'hôtel avait un immense lit à baldaquin qui leur plut beaucoup. Wendy se joignit à eux pour dîner dans un restaurant italien, afin de faire connaissance avant le grand départ pour Disneyland.

Avant qu'elle n'arrive, Pip demanda à son père si Wendy était son amoureuse, et il répondit que non, ils étaient juste amis, ce qui sembla la satisfaire. Il lui expliqua qu'elle était médecin comme lui et qu'ils s'étaient rencontrés pendant le voyage. Au début timide, Wendy se laissa vite amadouer par les enfants bien élevées et charmantes. Alex avait perdu deux dents de lait et avait l'air adorable sans ses incisives. Wendy leur confia qu'elle n'était jamais allée à Disneyland, ni en Californie ni en Floride, alors Alex lui promit qu'elle allait adorer et lui présenta toutes les princesses Disney. Wendy écouta attentivement et lança un sourire à Bill. Elle passait un très bon moment. Après le dîner, les deux filles étaient conquises et ravies que leur nouvelle amie les accompagne au pays de Mickey.

Ils passèrent prendre Wendy à 9 heures le lendemain dans une voiture de location. Les filles portaient des tennis, un pull rose et un manteau chaud. Wendy avait enfilé des baskets de sport, un jean et une parka. Ils étaient prêts pour la grande aventure et atteignirent les portes de Disneyland une heure plus tard. Ce fut un débordement de joie. Les filles couraient d'un manège à l'autre et se faisaient prendre en photo avec leurs personnages favoris. Elles invitèrent Wendy à se joindre à eux sur la majorité des photos. On leur acheta des bonnets rigolos, des oreilles de Mickey en peluche et un gros nœud rouge, qu'elles enfilèrent immédiatement, enjoignant à Wendy de faire de même pour la photo avec Minnie. Ils se goinfrèrent de pop-corn et de glaces et engloutirent un copieux déjeuner dans un buffet à volonté. Ils visitèrent le château de la Belle au bois dormant, s'envolèrent avec Peter Pan, lévitèrent sur le dos de Dumbo et naviguèrent sur le radeau de Pirates des Caraïbes. Le manège préféré d'Alex était la balade en canots de *It's a Small World* avec ses poupées et sa mélodie entêtante. Pip tenta les montagnes russes avec son père, s'époumona de terreur et demanda aussitôt à recommencer. En les attendant, Alex s'installa sur les genoux de Wendy, assise sur un banc, et cette dernière se rendit compte de tout ce à côté de quoi elle était passée. Ces fillettes étaient les êtres les plus attendrissants qu'elle ait jamais rencontrés.

Ils passèrent une journée merveilleuse, et Bill offrit à Pip et Alex des pyjamas et des tee-shirts Minnie, et le déguisement de Cendrillon dont rêvait la benjamine.

— Pas de robe de Cendrillon pour toi ? chuchota Bill à Wendy dans la dernière boutique.

— Je vais m'en tenir aux oreilles de Minnie. Je crois même que je les porterai au bureau lundi.

— Elles te vont à ravir, la taquina-t-il. Tu veux des souliers de vair ?

Il en avait acheté pour Alex.

Les filles étaient fatiguées mais au comble du bonheur en quittant le parc à 20 heures, après avoir mangé des nuggets pour le dîner. La journée avait été magique, dépassant largement les attentes de Wendy. Elle regrettait presque de ne pas avoir d'enfants, un sentiment qu'elle n'avait jamais ressenti jusqu'à présent, ou du moins pas depuis des années. Il n'y avait pas la place pour un bébé dans sa vie avec Jeff. Et maintenant, cela semblait trop tard pour y changer quoi que ce soit. D'ailleurs, elle ne voulait pas revenir en arrière. Ce qui ne l'empêchait pas d'avoir envie de revoir les enfants de Bill, à leur venue en Californie.

Le temps de quitter le parking, les deux petites dormaient déjà. Devant la parade de 18 heures, les deux petites Anglaises avaient trouvé cocasse que Mickey et Minnie parlent français.

— Je crois que ça fait des années que je n'ai pas passé une si bonne journée, dit Wendy à voix basse pour ne pas les réveiller.

Ils étaient debout depuis dix heures et elle était épuisée, mais elle avait l'impression d'être retournée en enfance. Les filles l'avaient adoptée.

— Tu as tellement de chance de les avoir, lui dit-elle.

— Je sais. Elles sont la meilleure chose qui me soit jamais arrivée.

— Je regrette de ne pas avoir eu d'enfants quand j'étais plus jeune.

— La plupart des femmes n'en ont pas encore à ton âge. L'an dernier, on a reçu à l'hôpital une patiente de 48 ans enceinte de triplés. Elle a eu un accident de la route et on a dû déclencher l'accouchement plus tôt que prévu, mais les bébés s'en sont sortis indemnes. Tu as largement le temps devant toi.

— Pas tant que ça, j'ai 37 ans.

— Tu es encore toute jeune. J'en déduis que Monsieur C'Est-Compliqué ne veut pas se marier ?

Elle hésita un long moment et décida de lui dire enfin la vérité. Elle lui faisait confiance. Après cette journée passée avec ses enfants, elle avait l'impression qu'ils étaient vraiment devenus amis.

— Il est déjà marié. Et il a quatre enfants.

— C'est embêtant, en effet. Et tu veux continuer comme ça ?

— Oui et non. Je ne veux pas passer le restant de mes jours dans le rôle de la maîtresse. J'ai fini par comprendre que je ne serai jamais rien d'autre à ses yeux. Mais je veux plus. Ma vie entière tourne autour de lui depuis six ans, c'est difficile de faire une croix dessus. En ce moment, il est en vacances avec sa femme et ses enfants à Aspen. J'ai l'intention de rompre en rentrant.

— Tu as des nouvelles depuis que tu es partie ?

Bill avait beaucoup de peine pour elle. Il avait du mal à croire qu'une femme si extraordinaire soit dans cette situation. Mais il savait que ce n'était pas rare.

Les hommes mariés jouaient à un jeu dangereux qui menait souvent à une impasse.

— Il en a pris le jour de la fusillade pour s'assurer que je n'avais rien. Je n'ai pas le droit de lui envoyer des messages en dehors des horaires de bureau. Et je ne peux pas l'appeler ni lui envoyer de mails.

C'était une confession embarrassante : Jeff dictait sa loi.

— On dirait qu'il a tous les avantages, et toi aucun. En tout cas, tu es la bienvenue pour te joindre à toutes nos virées à Disneyland. J'espère que tu t'autoriseras à tenter une relation plus épanouissante que ça. Tu le mérites.

Elle hocha la tête, et ils continuèrent à bavarder pendant le reste du trajet. La petite famille était triste de la quitter en arrivant devant l'immeuble.

— On a un grand lit avec des rideaux à l'hôtel, expliqua Alex. Tu veux faire une soirée pyjama avec nous ?

— J'adorerais. Malheureusement, avec moi dans le lit, il n'y aurait plus de place pour vous deux.

— Je vais mettre mon pyjama Minnie ce soir, tu aurais dû en prendre un aussi.

— La prochaine fois, promit Wendy en déposant un bisou sur les joues des filles.

Elle fit de même avec Bill.

— Merci pour cette journée merveilleuse… et pour les conseils. J'espère vous revoir tous les trois en Californie. Il faudra que vous veniez faire un barbecue chez moi, en plus j'ai une piscine.

Elle leur fit signe de la main, et la voiture s'éloigna pour rejoindre l'hôtel. Elle avait le sourire aux lèvres en pénétrant dans son appartement. Pour une fois, Jeff ne lui manquait pas. Elle se demanda ce qu'elle faisait avec lui depuis six ans. Cette famille était ce qui lui avait manqué pendant toutes ces années, et elle lui avait apporté bien plus qu'une nuit avec son amant. Elle savait ce qu'il lui restait à faire.

Après s'être débarrassée de sa parka, elle envoya un message à Bill pour le remercier de l'avoir incluse et lui répéter combien elle s'était amusée.

En croisant son reflet dans le miroir, elle remarqua qu'elle portait toujours le serre-tête aux oreilles de Minnie et elle éclata de rire. Elle avait l'impression de retourner en enfance.

Valérie passa son samedi à rattraper son retard administratif. Elle s'était tant absentée du bureau pour gérer les séances de soutien psychologique qu'elle n'avait pas eu le temps de traiter la paperasse. Mais elle était motivée par la perspective de dîner avec Tom ce soir-là. Elle appréciait le temps qu'elle passait avec lui. Il avait un sens de l'humour qui lui plaisait beaucoup, tout en sachant aussi être sérieux. Et surtout, il ne se cachait plus. Elle était la première femme qui voyait au-delà de ses apparences et le comprenait. Son expression au moment de sauver l'écolière, alors qu'il courait vers l'ambulance, avait conquis le cœur de Valérie. Impossible de revenir en arrière après ça, et Tom le savait. Valérie avait fait tomber sa garde, ce qui l'avait à son tour encouragé à abandonner son masque. Jusque-là, il avait été un homme en tenue de camouflage, avançant à couvert, dans une armure d'acier. Désormais, il se sentait plus léger. Elle fut heureuse de le voir quand il passa la prendre au bureau. Elle lui fit la bise et monta dans la voiture de location.

— On va où ? demanda-t-il, plein d'un enthousiasme impatient.

— Pourquoi pas au Bon Marché, pour acheter de quoi grignoter à l'épicerie fine ? Je peux cuisiner, ce soir.

Ils se promenèrent une heure entre les étals pour choisir avec soin fruits, champignons, artichauts – tout ce qui les tentait. Ils achetèrent du crabe, du velouté à la truffe, un assortiment de fromages, des pâtisseries auxquelles Tom ne put résister, et une boîte de chocolats qu'ils offriraient à Marie-Laure le lendemain.

Ils déballèrent leurs emplettes dans la cuisine douillette de Valérie, et Tom servit deux flûtes du champagne qu'il avait apporté. Puis ils rangèrent la bouteille au frigo et allèrent s'installer dans le salon. Elle le regarda lancer un feu dans la cheminée, l'air songeur. Puis il la rejoignit sur le canapé.

— Tu vas me manquer.

Ils avaient pris l'habitude de se voir tous les jours et aimaient travailler côte à côte. Toute l'équipe fonctionnait en parfaite harmonie, Français comme Américains. Le hasard de la sélection avait bien fait les choses.

— Tu vas me manquer aussi, répondit-il.

Ces trois semaines à Paris l'avaient métamorphosé, en partie à cause de la tragédie mais aussi grâce à Valérie. Pour elle, il voulait devenir un homme meilleur.

— Je suis pressé que tu viennes à San Francisco. Je vis juste à l'extérieur de la ville, de l'autre côté du pont. J'ai envie de t'emmener découvrir la vallée de Napa. Les restaurants y sont divins, on se croirait en Italie. Tout est verdoyant à cette époque de l'année.

Il la regarda droit dans les yeux et posa sa main sur la sienne.

— J'ai l'impression qu'on a traversé tant d'épreuves ensemble. Ces trois semaines sont passées en un éclair, dit-il.

Il leur restait une semaine, mais il savait que le temps filerait encore plus vite.

— J'aurais voulu rester plus longtemps. Ce serait tellement génial de travailler ici.

Il sembla surpris par les mots qui sortaient de sa propre bouche.

— Tu pourrais obtenir une autorisation d'exercer en France, et intégrer les urgences d'un hôpital. Ou alors avoir un poste plus administratif, comme Gabriel et Marie-Laure.

— Non, ce n'est pas fait pour moi. La paperasse m'ennuie. C'était intéressant pour un temps, mais ma vocation est de sauver des gens en sale état. J'aime trop mes patients.

L'ayant vu à l'action, elle le croyait.

— Je suis meilleur en pratique, conclut-il. Comment vont tes patients en stress post-traumatique ?

205

L'idée d'exercer la médecine en France n'était qu'un rêve lointain. Il adorait son poste au centre médical Alta Bates Summit.

— Le travail sera long. On ne se remet pas d'un traumatisme pareil en un clin d'œil. Les enseignants doivent apprendre à dépasser la culpabilité de ne pas avoir pu sauver leurs élèves. Ceux qui ont les meilleures chances de guérison, en réalité, ce sont les enfants. Mais ils sont au tout début du processus. Les parents des survivants sont secoués, eux aussi. Je veux que tout le programme soit bien en place pour qu'il n'y ait pas d'accroc en mon absence.

Comme Tom, Valérie était extrêmement consciencieuse. Il alla chercher la bouteille pour remplir la flûte de Valérie. Assis devant l'âtre, ils contemplèrent les flammes. Puis Tom tourna la tête et l'embrassa. Ils s'étaient mis d'accord pour ne pas précipiter les choses, mais le moment était venu d'avancer. Il partait dans une semaine. Il voulait qu'elle sache combien elle comptait à ses yeux. Lorsque le baiser prit fin, elle lui sourit, posa son verre sur la table et passa ses bras autour de sa nuque.

— Tu es unique, Tom Wylie, tu le sais ? Et tu comptes beaucoup pour moi.

Sur ce, elle l'embrassa à son tour. Il se sentit attiré comme un aimant, incapable de desserrer leur étreinte. Il en voulait plus, et elle aussi. Le temps qui avait filé à toute allure, la tragédie et chaque jour passé ensemble les avaient rendus inséparables.

Ils s'allongèrent sur le canapé tandis qu'il caressait tendrement son corps, puis ses mains se glissèrent sous son pull pour trouver ses seins. Elle se cambra sous les caresses, et il la déshabilla pour l'admirer. Elle avait un corps magnifique et il n'avait jamais autant désiré une femme.

Sa jupe glissa sans difficulté le long de ses jambes, et elle ne protesta pas quand il l'enleva. Puis elle se leva avec grâce et l'attira à elle. Elle le conduisit jusqu'à la chambre où il la suivit en profitant de la vue sur ses fesses parées d'un string en dentelle noire, le plus sexy qu'il ait jamais vu. Tout chez elle l'excitait. Elle le débarrassa de ses vêtements, et lui de sa lingerie, dégrafant le soutien-gorge de dentelle noire et les bas attachés à un porte-jarretelles qu'il n'avait pas anticipé. C'était une femme pleine de surprises et de mystères. Enfin, ils se retrouvèrent nus dans son lit. Il se consumait d'un désir si puissant qu'il la pénétra quelques instants plus tard. Elle guida ses caresses pour lui montrer ce qu'elle aimait, et il fit monter son plaisir à un niveau insensé. Ne pouvant plus se retenir, il jouit avec un rugissement de lion en même temps qu'elle. Satisfaite et repue, elle se détendit dans ses bras.

— C'était très bien, lui chuchota-t-elle avant de l'embrasser.

Il la dévisagea d'un air ahuri.

— Très bien ? Tu appelles ça très bien ? Je me demande ce que ça donne quand tu estimes ça « fabuleux » alors... Tu es la femme la plus sexy et la plus incroyable au monde.

— Je suis ravie que tu le penses. Tu n'es pas mal non plus.

Elle resta allongée contre lui, et il manifesta de nouveau son désir quelques minutes plus tard. La deuxième fois fut mieux encore. Après quoi, elle s'extirpa du lit et enfila un peignoir en satin rose pour se diriger vers la cuisine. Il l'y suivit, nu, et versa la fin de la bouteille de champagne dans leurs deux flûtes. Elle disposa pour lui un véritable festin sur la table de la cuisine et ils mangèrent, bavardèrent, rirent et s'embrassèrent, plus heureux que jamais.

Valérie et Tom passèrent le dimanche au lit, jusqu'au moment où ils durent s'habiller pour aller dîner chez Marie-Laure. Ils arrivèrent les derniers, baignés d'une aura d'amour et de sérénité que les autres remarquèrent aussitôt.

L'atmosphère était chaleureuse et amicale. Paul, en grand gamin, s'amusait à jouer aux jeux vidéo avec les fils de Marie-Laure. L'Équipe des Huit était au complet. Gabriel avait séché le repas familial pour venir, et Bruno Perliot s'intégrait avec joie à la troupe. Il aida Marie-Laure en cuisine, parfait prétexte pour passer du temps avec elle. En jean moulant et hauts talons, avec un pull blanc qui mettait en valeur sa silhouette, elle faisait bien plus jeune et moins sérieuse qu'au bureau. Bruno en avait eu le souffle coupé en arrivant avec un immense bouquet de roses rouges. Gabriel, Paul et Bill s'étaient chargés du vin. Stephanie et Wendy avaient apporté un dessert de chez Lenôtre, et Tom et Valérie la boîte de chocolats choisie au Bon Marché la veille.

Marie-Laure avait fait dîner les enfants avant l'arrivée des invités et, après la partie de jeu vidéo avec Paul, elle leur lança un film dans sa chambre. Les garçons, pourtant turbulents, serrèrent poliment la main de chaque adulte avant de disparaître. Bruno se doutait qu'ils la tenaient occupée, car il se souvenait encore de l'époque où ses trois fils étaient petits. Ça n'avait pas été de tout repos, et pourtant ils étaient alors deux parents. Marie-Laure lui avait confié que leur père venait rarement les voir. Il avait accepté un poste dans un hôtel au Maroc et ne venait qu'une fois par an à Paris. Il n'avait pas non plus le temps de les accueillir là-bas.

Elle avait acheté plusieurs poulets rôtis et préparé des pâtes. Il y avait du pain, du fromage, du vin, ainsi qu'un gratin de légumes maison. Moins sophistiquée que le Parmentier de canard de Valérie, la table était simple mais copieuse, et tout le monde se resservit au cours d'une conversation animée. Bill parla à Bruno de son hôpital et des problèmes liés aux gangs, ce qui n'était pas un phénomène que l'on rencontrait à Paris. De temps en temps, Bruno retournait en cuisine pour voir si Marie-Laure avait besoin d'aide.

Stephanie et Gabriel restèrent collés l'un à l'autre la majeure partie de la soirée, ce qui préoccupa Wendy, Valérie et Marie-Laure. Leur amie semblait très engagée dans sa nouvelle relation, malgré leurs avertissements : les hommes mariés ne divorçaient jamais. Elle comptait quitter son mari, délocaliser sa carrière, amener deux enfants dans un pays étranger, tout ça pour lui. La garde des enfants risquait d'être une bataille éprouvante si Andy s'opposait à leur déménagement en France.

— Réfléchis bien, lui conseilla Valérie alors qu'elles sortaient les assiettes pour le dessert.

Personne ne voulait la voir plonger à l'aveuglette et finir meurtrie.

— Je n'ai encore rien dit à mon mari, admit-elle. Je ne compte pas le faire avant le départ de Gabriel, après San Francisco. Je ne veux pas de scandale quand vous serez là-bas.

Valérie approuva cette sage réserve. Gabriel et Stephanie jouaient à la roulette russe et allaient forcément finir par blesser quelqu'un, ne serait-ce que les conjoints qu'ils s'apprêtaient à quitter. Ils risquaient de sérieux dégâts, même s'ils semblaient tous les deux dans le déni.

Personne ne fit de commentaires sur l'intimité manifeste qui s'était créée entre Tom et Valérie, deux adultes célibataires sans enfants et sans engagements, ce qui n'avait rien à voir avec la situation de Stephanie. Tom et Valérie étaient libres et leur seul problème était l'océan qui séparait leurs carrières.

Paul et Wendy parlèrent longuement de Médecins sans frontières. Paul avait visiblement apprécié sa mission là-bas, et Wendy trouvait ses anecdotes fascinantes.

La soirée se termina à minuit, car ils avaient tous du pain sur la planche le lendemain. Pour aider Marie-Laure, Bruno porta les deux petits garçons dans leur lit avant de partir. Tom rentra avec Valérie. Il passait la dernière semaine chez elle. Dans l'après-midi, il lui avait proposé de s'installer chez lui à Oakland quand elle viendrait à San Francisco, ce qu'elle avait accepté. Il l'avait prévenue que l'appartement n'était pas dans un très bon état ni au degré de confort auquel elle était habituée, mais elle avait décidé de courir le risque. Elle aimait l'idée de former un foyer avec lui pendant un mois.

12

Le lendemain, ils étaient tous de bonne humeur. Deux semaines s'étaient écoulées depuis la fusillade, toutes les victimes reposaient en paix, et la presse avait enfin trouvé d'autres sujets sur lesquels reporter son attention – même si ni Paris ni le monde n'oublieraient jamais le drame.

Ils avaient rendez-vous au centre opérationnel ce matin-là, pour un point administratif et le visionnage d'un nouveau film informatif sur les situations de prise d'otages. Une journée tranquille, somme toute, jusqu'à ce que Bruno appelle Marie-Laure pour l'informer qu'une prise d'otages était en cours dans un lycée. C'était exactement ce qu'il craignait : un criminel inspiré par le premier forcené. Il lui transmit l'adresse. Les CRS et le RAID étaient déjà en route.

Elle informa l'équipe, et deux minutes plus tard ils roulaient à bord du minibus. Le lycée se trouvait dans un quartier ordinaire du XVe arrondissement, à la fois commercial et résidentiel. Les médecins affichaient un air sombre. Toutes ces vies perdues deux semaines plus tôt, et voilà que ça recommençait alors que les blessures de la première tragédie étaient encore à vif.

Ils garèrent le minibus à quelques rues et arrivèrent à pied sur la scène de la prise d'otages. Un rassemblement de forces de l'ordre les informa que le capitaine Perliot les attendait dans le bus blindé aux vitres pareballes qui faisait office de poste de commandement. Bruno leur enjoignit d'entrer vite, l'air grave.

— On a reçu un appel nous alertant sur la situation. Les lignes téléphoniques sont coupées à l'intérieur de l'établissement. Personne n'a signalé de coups de feu, et nous n'avons pas été recontactés par le preneur d'otages depuis. Dans son premier appel, il se disait armé d'une bombe et menaçait de faire tout exploser si l'on tentait d'entrer. Nous n'avons pas assez d'informations pour prendre ce risque.

Il redoutait un nouveau massacre. La rue se remplissait déjà d'ambulances quand un nouvel appel fut passé sur le numéro central de la police. L'interlocuteur semblait jeune et arrogant. Bill avait l'impression qu'il était ivre.

— Pas mal, le temps de réaction, les gars. Vous avez rameuté tout le monde en neuf minutes. Les gamins vont bien. Ils font une boum dans le gymnase. J'ai terrorisé les profs, mais personne n'est blessé. De toute façon, ce sont tous des cons, je suis bien placé pour le savoir.

Sur ces mots, il éclata de rire et raccrocha. Quelqu'un leur fit signe depuis la fenêtre de ce qui pouvait être un gymnase. Soudain, ils entendirent de la musique à fond, et la silhouette disparut. Bruno était furieux.

Il envoya le RAID avec ordre de ne pas tirer, sauf si la présence d'armes était avérée et, dans ce cas, avec permis de tuer. En moins d'une minute, l'établissement était envahi par la police, les CRS et le RAID. Les élèves et enseignants furent évacués. Déboussolés, ils n'avaient pas la moindre idée de ce qui se passait, à part que quelqu'un avait annoncé au haut-parleur que les cours étaient annulés et qu'une boum débutait au gymnase. De la musique à plein volume avait retenti, mais aucune trace d'armes ni de bombes. Pas d'otages, pas de blessés.

C'était un canular que la police avait pris au sérieux – impossible de faire autrement à la lumière des récents événements. Le coupable s'était évaporé dans la nature et personne ne pouvait l'identifier. On ne l'avait pas vu et on n'avait entendu sa voix qu'à travers les haut-parleurs. Cinq cents élèves et 75 enseignants s'étaient déversés dans la rue, pendant que les équipes du RAID passaient au peigne fin les locaux. Ils ne trouvèrent rien d'autre que des bouteilles vides de vin et de vodka dans le gymnase.

Deux heures plus tard, le lycée fut déclaré sans danger. Les élèves avaient été renvoyés chez eux, et la presse s'en donnait à cœur joie pour rapporter le canular d'un supposé ancien élève qui avait ridiculisé la police.

À 14 heures, Bruno ordonna de rapatrier les troupes et de lever le camp. Les infos en firent leurs gros titres tout le reste de la journée, sans se soucier de propager un périlleux exemple. Plusieurs jeunes avaient été interpellés, mais leurs interrogatoires n'avaient rien révélé.

— Au moins, personne n'a été blessé cette fois. Je préfère passer pour un imbécile plutôt que de revivre ce cauchemar, dit Bill.

Bruno était d'humeur noire en quittant les lieux. Un canular pareil coûtait une fortune au contribuable et lançait un défi susceptible d'être suivi par d'autres inconscients. Sans compter que, si le coupable avait été aperçu alors qu'on pensait qu'il allait faire sauter le lycée, il aurait pu être abattu sur-le-champ. C'était une blague totalement irresponsable et dangereuse, qui avait mis tout le monde à cran.

Ils quittèrent le bureau tôt ce jour-là pour commencer à faire leurs bagages. Wendy avait dû se procurer une valise supplémentaire pour toutes les affaires achetées pendant son voyage. Stephanie aussi avait réalisé une montagne d'achats, surtout pour ses fils.

On parlait encore du canular le lendemain à la télévision, et Marie-Laure, qui écoutait distraitement les informations dans son bureau, fronça les sourcils à l'annonce du sujet suivant. Une explosion avait eu lieu dans une église à Rome. Aucun groupuscule n'en avait revendiqué la responsabilité, mais la piste terroriste était privilégiée. Un homme déguisé en prêtre était entré dans l'église et avait déclenché sa ceinture explosive, faisant 47 morts et 19 blessés, ainsi que d'irréversibles dégâts dans l'un des plus vieux monuments catholiques de Rome. Ce n'était pas un canular, et la nouvelle leur rappela à tous les menaces qui pesaient sur le monde. La police italienne ne pouvait pas encore certifier s'il s'agissait du crime d'un forcené, comme tant d'autres tragédies, ou d'une attaque planifiée par des terroristes entraînés. Dans tous les cas, de tels drames tuaient dans tous les pays.

— Au moins, ce n'était pas en France, cette fois-ci, dit Marie-Laure d'une voix lasse.

Bruno l'appela dans l'après-midi et lui fit la même remarque. Il n'avait pas davantage de pistes sur l'auteur du canular de la veille. Personne ne l'avait remarqué quand il s'était introduit dans l'établissement, et on ne savait même pas s'il avait quitté le bâtiment avec les autres lycéens. Sa connaissance des lieux indiquait qu'il fréquentait certainement le lycée ou qu'il en était un ancien élève. Il s'en était tiré, mais c'était un jeu dangereux. Il aurait pu y avoir des morts ou des blessés si Bruno avait réagi plus vite. Heureusement, il ne l'avait pas fait.

Le reste de la semaine se déroula dans le calme, et le jeudi soir ils dînèrent tous ensemble. Gabriel semblait déprimé par la perspective du départ de Stephanie, même s'ils seraient réunis deux semaines plus tard, ce qui lui semblait être une éternité. Stephanie était pressée de revoir ses fils, mais craignait les retrouvailles avec Andy. Ces quatre dernières semaines, elle avait agi comme s'il n'existait pas et elle devait maintenant reprendre son rôle d'épouse pendant six semaines avant de lui annoncer qu'elle le quittait. Elle avait suggéré à Gabriel de consulter un avocat pour lancer sa procédure de divorce, mais il préférait attendre de rentrer des États-Unis. Stephanie ne doutait pas qu'il le ferait, mais Valérie était moins confiante.

Tom était malheureux de quitter Valérie, mais elle avait beaucoup à faire pendant les deux prochaines semaines, afin d'organiser ses cellules de soutien psychologique. Tom devait de son côté procéder à un grand ménage dans son appartement, afin de le rendre habitable pour la recevoir. Elle lui suggéra d'engager un exorciste, mais il pensait plutôt à un bulldozer et à une benne à ordures. Dans tous les cas, ils avaient tous les deux du pain sur la planche.

Bill partait le lendemain pour Londres afin de passer un dernier week-end avec ses filles avant l'été. Sa vie était désolée en leur absence, et ce mois à Paris lui avait offert quatre week-ends en leur compagnie dont il ne lui resterait bientôt plus que les souvenirs. Les jours qui le séparaient de juillet s'annonçaient solitaires.

Wendy avait décidé d'affronter le problème de sa relation avec Jeff, mais elle ne savait pas encore quoi dire, ni comment ni quand. Elle avait peur de retomber amoureuse dès qu'elle le reverrait – ce qui était déjà arrivé auparavant. Elle ne savait pas si elle aurait le cran de le quitter, mais elle voulait au moins essayer. Paris lui avait donné une nouvelle perspective, et elle voulait en profiter.

Marie-Laure devait dîner avec Bruno le soir du départ du quatuor américain. Elle avait été surprise de son invitation, mais Valérie l'avait gratifiée d'un « je te l'avais bien dit ». Il était fou d'elle.

Paul déclara que Paris serait bien triste sans leurs amis américains. Il rappela à Tom de lui préparer un grand circuit touristique des meilleurs bars et boîtes de nuit de San Francisco pour s'éclater ensemble. Mais maintenant que Valérie emménageait chez lui, ce projet rendait Tom beaucoup moins enthousiaste que quand il l'avait évoqué au début du mois. Paul n'avait pas encore bien pris conscience de la transformation de Tom, contrairement à tous les autres. Les médecins avaient chacun changé ces quatre dernières semaines, plus qu'ils ne l'auraient imaginé. Cela avait été un mois extraordinaire, et maintenant ils avaient pour défi de faire au moins aussi bien lorsque les quatre Français viendraient à San Francisco. Ils craignaient de ne pas pouvoir leur offrir autant de divertissements, car leur ville n'égalait pas Paris sur ce plan, mais ils promirent de faire leur possible.

Lorsque l'avion décolla de l'aéroport Charles-de-Gaulle le samedi matin, survolant la ville dont ils étaient tombés amoureux et qui leur avait tant donné, ils partirent le cœur lourd en pensant aux amis qu'ils y laissaient.

Dimanche, Bill ravala ses larmes en disant au revoir à Pip et Alex. Il promit de les appeler tous les jours, comme d'habitude. Elles l'étreignirent de leurs petits bras, et il embarqua à bord de son vol pour San Francisco à l'aéroport d'Heathrow, comptant déjà les jours qui le séparaient de juillet.

13

Dès qu'elle passa la douane à San Francisco, la réalité frappa Stephanie de plein fouet. Andy l'attendait, grand, séduisant, en jean et pull comme d'habitude, avec la barbe de trois jours qui lui allait si bien. À côté de lui, Ryan et Aden trépignaient, si enthousiastes qu'ils parvenaient à peine à se contenir, brandissant des pancartes fabriquées en son honneur. Sur celle d'Aden, on pouvait lire *Bienvenue à la maison maman*, et sur celle de Ryan *On t'aime très fort Mamounette*. Son cœur fit un bond dans sa poitrine, et elle en eut les larmes aux yeux. Ils se jetèrent sur elle et elle les souleva de terre, un sur chaque hanche, prenant garde à ne pas abîmer leurs pancartes. Cette présence lui fit prendre conscience de la longueur de son absence. Tout ce qui se rattachait à sa vraie vie lui avait semblé si loin depuis Paris. Elle s'en était sentie à des années-lumière, comme dans la peau d'une autre, et maintenant qu'elle était de retour elle devait redevenir une adulte responsable – ou, du moins, faire semblant d'en être une. Elle se rappelait à peine en quoi cela consistait. Elle s'était concentrée sur sa nouvelle vie à Paris et voilà qu'elle était propulsée dans celle d'avant.

Après avoir reposé les garçons, elle leva les yeux vers Andy pour tenter de déchiffrer son regard. Elle y lut de la peur, de la méfiance, de la rancœur, de la souffrance, et du manque. Elle n'était pas certaine de ses sentiments pour elle, ni des siens pour lui. Alors elle l'enlaça et planta un baiser sur sa joue.

— Tu as fait bon vol ?

— C'était long.

Elle ne savait pas quoi dire d'autre et se contenta de pousser le chariot de bagages.

Wendy la regarda s'éloigner, se demandant comment Stephanie allait gérer les complications qui l'attendaient. Tom marchait à côté d'elle en direction de la station de taxis et il lui chuchota :

— Je suis content de ne pas être à la place du mari. Il ne sait pas ce qui l'attend.

Andy était bien le seul à ignorer encore la liaison de sa femme avec Gabriel, ce qui rendit leurs adieux très gênants quand Stephanie présenta Andy à ses collègues, et qu'il leur demanda par politesse ce qu'ils avaient pensé de Paris. Par compassion, ils tentèrent de ne pas avoir l'air trop enthousiastes. Stephanie serra Wendy dans ses bras et promit de l'appeler. Elle fit la bise à Tom et lui souhaita bon courage pour le grand ménage.

Il s'esclaffa.

— Tu n'as pas idée de l'ampleur de la tâche. Je vais devoir passer les deux prochaines semaines à récurer et à remplir des bennes à ordures. Je ferais mieux de déménager.

Ils sortirent tous ensemble du terminal. Stephanie, Andy et les garçons les abandonnèrent là, pour rejoindre le parking. Elle continua à discuter avec Aden et Ryan, mais n'échangea pas un mot avec leur père, par peur de se trahir. Elle détestait lui mentir, mais elle n'avait pas le choix. Pire que tout, elle éprouvait désormais de la loyauté à l'égard de Gabriel. Pourtant, maintenant qu'elle retrouvait Andy, elle se rendait compte qu'en tant qu'épouse, elle lui devait beaucoup. Déchirée par ses sentiments contradictoires, elle se mura dans le silence pendant le trajet en voiture. Les garçons criaient et s'agitaient à l'arrière, et Andy ne pipa mot. Elle se demanda s'il avait deviné.

Il leur fallut quarante minutes pour atteindre la maison et, quand Stephanie franchit le seuil, une vague d'émotion la submergea. Comme si elle s'était perdue en mer pendant tout ce temps et échouait enfin sur la bonne rive. Pourtant, une part d'elle ne voulait pas être là et rêvait encore de Gabriel à Paris.

Dans la maison d'Upper Haight, tout était nickel. Andy avait fait un effort surhumain pour l'accueillir dans un foyer impeccable. Elle était certaine que tout n'avait pas été si ordonné en son absence.

— C'est drôlement bien rangé, dit-elle à Andy avec un sourire.

— Merci.

Ce seul mot prononcé d'une voix neutre suffit à lui rappeler la froideur et la colère qu'il avait manifestées avant son départ. Rien ne s'était arrangé entre eux, et elle ne savait pas comment combler ce gouffre, ni même s'il le fallait. Elle ne voulait pas l'induire en erreur et lui faire miroiter un avenir plus heureux. Mais elle ne voulait pas non plus lui dire la vérité trop tôt. Elle allait devoir apprendre à jongler entre Andy et Gabriel. Rien que d'y penser, elle sentit son ventre se nouer, alors elle monta dans la chambre pour se débarrasser de son sac à main et de son manteau. Derrière elle, Andy portait ses deux valises. L'une d'elles était essentiellement remplie de jouets et de vêtements pour les garçons. Elle avait acheté un pull en soldes pour Andy, rien d'autre. À Paris, elle s'était sentie déjà divorcée. Maintenant qu'elle était de retour, son époux était pourtant bien réel.

— Tu veux manger quelque chose ? proposa-t-il, faute de meilleure conversation.

— Non, merci. On s'est goinfrés dans l'avion.

Le vol avait duré onze heures et demie, et le stress l'avait empêchée de dormir.

Elle ouvrit une des valises et apporta les cadeaux dans la chambre des garçons. Ils furent ravis par les jouets, et elle déposa les vêtements sur un fauteuil, afin de les suspendre plus tard. Puis elle les serra de nouveau dans ses bras. Ils avaient tant grandi en un mois. Elle retourna dans la chambre parentale, sortit le pull destiné à Andy de sa valise et le posa à plat sur le lit. L'offrande semblait bien maigre pour s'être occupé des deux garçons pendant ses quatre semaines d'absence. Il entra dans la pièce et elle se tourna vers lui, tentant d'ignorer les questions dans son regard. Tout sonnait faux entre eux, comme deux inconnus vivant à la même adresse. Elle ne parvenait pas à raviver les sentiments qu'elle avait un jour eus pour lui.

— Les garçons ont l'air d'aller bien.

— Aden a attrapé un rhume la semaine dernière, mais il est guéri.

Il le lui avait déjà dit au téléphone, mais ils se raccrochaient à la moindre information pour meubler le silence pesant.

— Ça fait du bien de rentrer à la maison, dit-elle.

Elle mentait, mais ne savait pas quoi inventer d'autre. Elle lui tendit finalement le pull, qui s'avéra trop petit. Andy était plus grand et plus large d'épaules que dans son souvenir. Comment avait-il pu lui devenir si étranger en quatre petites semaines ? La réponse, évidemment, tenait à l'homme qui les avait remplies.

Andy quitta la pièce pour la laisser déballer sa valise, abandonnant le pull sur le lit. Elle ne le revit que deux heures plus tard, lorsqu'il l'appela pour dîner. Les garçons dévalèrent l'escalier, laissant grande ouverte la porte de leur chambre où régnait un joyeux bazar. Andy avait mis la table et cuisiné des burgers au barbecue, accompagnés de frites surgelées et de salade. Le plat préféré des garçons. C'était comme si elle n'était jamais partie. Sauf que ce n'était pas elle, mais son propre fantôme qui l'avait remplacée. Elle avait l'impression d'être prisonnière de ces murs et se sentait incapable de feindre la joie du retour. Le bistro de la rue du Cherche-Midi lui manquait, ainsi que ses nouveaux amis, les immeubles parisiens, les bras de Gabriel quand celui-ci lui promettait que tout allait bien se passer. Elle avait juré de lui envoyer un message à son arrivée, mais elle ne l'avait pas fait. Elle redoutait, en allumant son téléphone, qu'Andy y surprenne des SMS compromettants. Elle comptait s'en occuper plus tard, à un moment où Andy ne pourrait pas débarquer dans la pièce et lui demander à qui elle envoyait un message. En vivant sous le même toit que lui, elle mentait en permanence. Elle s'était construit une nouvelle vie à Paris – ou en tout cas prévoyait de le faire – et elle avait l'impression de vivre un étrange retour en arrière.

Les garçons alimentèrent pleinement la conversation pendant le dîner, puis Stephanie aida Andy à débarrasser. Il alluma la télévision dans le salon et s'installa devant un match de basket, pendant qu'elle montait donner leur bain aux enfants et les mettre au lit. Andy la rejoignit pour leur souhaiter bonne nuit, puis elle se retrouva seule avec lui dans la chambre. Dans le lourd silence, il ferma la porte pour que les garçons ne puissent pas les entendre.

— Il y a un problème, Steph, pas vrai ? C'est bizarre entre nous.

Elle ne pouvait pas le nier, mais ne voulait pas l'admettre non plus. Pas si vite. Ils s'étaient quittés en mauvais termes un mois plus tôt, et la rancœur n'avait pas faibli. Sauf qu'en plus, elle était tombée amoureuse d'un autre.

— Je ne sais pas. J'imagine que quatre semaines, ça fait beaucoup. Et ça n'allait pas fort entre nous avant mon départ. Tu ne m'as même pas dit au revoir.

Ils s'étaient néanmoins téléphoné depuis, même si la discussion n'avait tourné qu'autour des garçons.

— J'étais en colère. Je pensais que tu avais tort de partir. Tu le savais et tu es partie quand même.

Soudain, elle se rendit compte qu'elle avait été incapable de renoncer à un voyage professionnel à Paris pour Andy, mais qu'elle envisageait de délocaliser sa carrière en France pour Gabriel. Qu'est-ce qui était si différent entre les deux hommes ? Pourquoi était-elle capable de sacrifier bien plus pour Gabriel que pour son propre mari ? Sûrement parce qu'auprès de Gabriel elle se sentait aimée. Alors qu'Andy la culpabilisait en permanence – à raison maintenant.

— Je pensais que ce voyage était essentiel pour ma carrière. C'était un honneur et une opportunité rare.

— Alors que ce que je fais, moi, ça n'a pas d'importance, c'est ça ?

La déception était flagrante dans sa voix qui retrouvait une pointe de colère.

— Si une chance pareille se présentait à toi, je ne t'en priverais pas. Et je sais qu'un mois, c'était long.

— Tu t'es bien amusée au moins ?

Il avait l'air d'un enfant vexé de ne pas avoir été invité à un goûter d'anniversaire, et elle eut de la peine pour lui.

— Parfois, oui. D'autres fois, c'était très dur. Comme le jour de la fusillade. Ça m'a brisé le cœur, mais j'ai beaucoup appris.

— Je me suis inquiété pour toi.

— Je ne courais pas le moindre risque, à aucun moment. C'était juste d'une terrible tristesse. Tant de gens sont morts, une majorité d'enfants.

— Et maintenant ? Tu reprends le boulot ? Ça redevient comme avant ?

— Je retourne lundi à la clinique. L'équipe française arrive dans deux semaines, mon planning a été aménagé pour que je puisse les accueillir. Il y aura beaucoup de réunions, de mises en situation, de protocoles, de visites d'hôpitaux, tout ça pour leur montrer notre fonctionnement. C'est un échange.

— Donc tu vas être occupée.

Elle acquiesça. C'était compter sans Gabriel. Elle voyait bien qu'Andy se sentait mis à l'écart, mais il n'y avait pas moyen de l'inclure maintenant, et elle ne voulait pas qu'il croise Gabriel. C'était trop risqué et stressant.

Elle alla prendre une douche et se coucha tôt. Andy était déjà au lit quand elle revint dans la chambre, et ne s'approcha pas d'elle quand elle se glissa sous la couette. Elle éteignit sa lumière et s'allongea. Lui continua à lire pendant un certain temps, avant d'éteindre sa propre lampe de chevet. Il ne tenta pas de la toucher. Puis elle entendit sa voix s'élever dans l'obscurité. Il semblait apeuré.

— Est-ce que... tu es tombée amoureuse de quelqu'un d'autre là-bas, Steph ?

Elle se raidit.

— Non... c'est juste bizarre entre nous en ce moment... comme si on était déconnectés.

Il ne répondit pas avant un long moment. Déconnectés, cela faisait des mois, voire des années, qu'ils l'étaient.

— Laissons faire le temps, pour se réhabituer l'un à l'autre, conclut-il doucement.

Elle était soulagée qu'il ne veuille pas faire l'amour. C'était sa crainte principale, car elle ne s'en sentait pas capable. Mais peut-être faudrait-il y faire face à un moment. Elle ne savait pas comment justifier l'abstinence sans éveiller ses soupçons. Pour l'instant au moins, elle avait un sursis.

— Je suis désolée.

Cette fois, elle était sincère. Elle était désolée de sa colère, d'être partie, de l'avoir trompé, d'être tombée amoureuse d'un autre. Soudain, la voix qu'elle avait tant aimée lui répondit dans le noir, et lui fendit le cœur.

— C'est pas grave.

Jusqu'au dimanche, ils se concentrèrent sur les garçons pour ne pas avoir à penser à leur couple. Le lundi, Stephanie retourna travailler. Elle avait reçu des dizaines de messages de Gabriel, lui déclarant son amour et combien Paris lui semblait vide sans elle. Il lui disait tout ce qu'elle espérait. Il

228

avait même tenté de l'appeler le dimanche mais, alors en route pour se promener au parc et jouer au ballon avec Andy et les garçons, elle n'avait pas décroché.

Seule dans sa voiture, sur le trajet pour l'hôpital ce lundi matin-là, elle lui téléphona, et il se montra tout aussi passionné que dans ses messages. Leur histoire lui revint d'un coup en mémoire, et les larmes roulaient sur ses joues alors qu'elle lui assurait qu'elle l'aimait. Il ne la voyait pas pleurer, et elle ne voulait pas le lui avouer. Tout était si confus qu'elle ne savait même pas ce qui la rendait triste.

Arriver à la clinique de l'université de Californie fut un soulagement. Son métier était la seule chose qu'elle savait faire et dont elle ne doutait pas, alors que tout le reste vacillait. Elle savait toujours travailler.

Quand Bill rentra chez lui le dimanche après-midi, l'appartement lui apparut sinistre. Les murs nus et le mobilier rudimentaire choisi par nécessité plus que par goût lui semblaient soudain profondément déprimants. Pip et Alex lui manquaient tant qu'il en ressentait de la douleur. Il enfila un short et des baskets et sortit courir le long de l'embarcadère. Mais rien n'y fit. L'appartement était tout aussi vide à son retour. Il ne pouvait même pas appeler ses filles, car il était 2 heures du matin à Londres.

Il s'acheta une salade à l'épicerie, et la mangea devant la télévision. Il envisagea d'appeler Wendy, pour le plaisir d'entendre une voix familière, mais téléphona finalement à Tom. Ce dernier semblait distrait et à bout de souffle.

— Alors, bien rentré ? Moi, je suis dans la merde jusqu'au cou. Il va me falloir au moins un an pour faire le ménage ici. Je n'aurais jamais dû inviter Valérie. Il faudrait balancer l'appart entier à la poubelle.

Bill s'esclaffa, ne doutant pas de la véracité du constat.

— Elle s'en fiche, tu sais. Elle t'aime.

— Pas assez pour vivre dans une déchetterie, à moins de devenir aveugle dans les deux prochaines semaines.

— Tu n'as qu'à échanger avec mon appart, on dirait un motel. Je n'ai jamais pris la peine de le décorer ni même de le meubler complètement. J'ai l'impression de vivre dans un grand placard. C'est tellement vide que ma voix résonne.

— Crois-moi, c'est mille fois mieux que chez moi. Je n'arrête pas de retrouver des culottes partout.

— Plains-toi, les seuls sous-vêtements que je trouve sous mon lit sont les miens, rétorqua Bill.

Il était content de l'avoir appelé. Le voyage à Paris lui avait appris à l'apprécier sincèrement.

— Pour ça, tu ne peux t'en prendre qu'à toi-même, dit Tom.

— C'est pas faux. Quand est-ce que tu reprends le boulot ?

— Pas avant jeudi. Demain, c'est encore grand nettoyage toute la journée. J'ai l'impression de m'être reconverti en femme de ménage.

— Demain, je travaille. Ça te dirait de dîner ensemble un soir, cette semaine ?

— Avec plaisir. Dis, tu n'aurais pas un aspirateur en trop, par hasard ? Je crois que j'ai filé le mien à quelqu'un. Ou alors on me l'a volé. À moins que je n'en aie jamais acheté.

— Ce qu'il te faudrait, c'est une de ces entreprises qui nettoient les scènes de crime.

— C'est pas une mauvaise idée. Mercredi, ça t'irait ? Je suis de garde mardi soir.

— Parfait.

Ils convinrent d'un restaurant près de chez Bill qui proposait de bons steaks et des burgers, et dont le bar était très fréquenté.

Bill se sentit bien mieux après cet appel. Ce voyage à Paris avait été une excellente décision. Pip et Alex lui manquaient terriblement, mais il était rentré à la maison avec sept nouveaux amis, dont trois à deux pas de chez lui.

Wendy retrouva sa maison de Palo Alto aussi étincelante qu'elle l'avait laissée. Sa femme de ménage venait deux fois par semaine, et elle remarqua que l'entreprise qui nettoyait la piscine était passée le jour même. Tout semblait en ordre, et l'aide-ménagère avait fait des courses en prévision de son retour. Il y avait dans le frigo de quoi préparer un petit déjeuner, ce qui était exactement ce dont elle avait besoin.

Elle s'obligea à défaire ses valises avant d'envoyer un SMS à Jeff, défiant la sacro-sainte règle des messages uniquement pendant les horaires de travail. Elle était partie un mois et n'avait pas de nouvelles depuis son voyage à Aspen. Elle voulait voir sa réaction.

Je suis de retour. J'ai adoré Paris, mais ça fait du bien de rentrer à la maison. Je t'embrasse.

Plusieurs heures plus tard, elle reçut une réponse :

Bon retour. À mercredi. J.

Pas de « tu me manques », « hâte de te revoir » ni « je t'embrasse ». Il ne lui demandait même pas si mercredi lui convenait. Il s'attendait à la retrouver au même endroit, au même horaire. Elle aurait aimé avoir le courage de lui répondre qu'elle était occupée, mais elle ne le fit pas. Elle était devenue un rendez-vous hebdomadaire, comme on réserve un cours de golf ou un massage. Il la considérait désormais moins comme une personne que comme un service. C'était si dégradant, pourtant elle avait laissé cette situation s'installer, et elle en partageait la responsabilité. Il n'aurait pas pu se servir d'elle ainsi sans son consentement. Elle l'avait laissé faire pendant six ans. Ça n'avait pas toujours été comme ça, mais cette situation durait depuis longtemps. À partir du moment où il avait cessé de penser à quitter sa femme, Wendy était devenue un plan cul régulier, à sa disposition.

Il ne passa pas la voir à l'improviste lundi ni mardi, comme il le faisait parfois. Il ne l'appela pas davantage pour prendre des nouvelles ou lui dire qu'il avait hâte de la voir.

Il arriva à 19 h 30 mercredi soir, avec une bouteille de vin, comme toujours, sachant qu'elle s'occuperait du repas au complet. Il ne l'invitait plus à sortir, au cas où on les apercevrait. Sans l'admettre, il la cachait comme un secret honteux. Elle ne lui coûtait rien, à part un cadeau à Noël et pour son anniversaire. Et après une absence d'un mois, c'était plus évident encore pour Wendy. Leur histoire n'avait même plus l'excuse de la passion. Ils faisaient l'amour le mercredi soir après manger, mais tout dans ce créneau millimétré était organisé et aussi prévisible que lui. Soudain, elle prit la mesure de ce à quoi aurait ressemblé son quotidien si elle était mariée avec lui. Jeff contrôlait absolument tout son environnement et appliquait sa précision chirurgicale à tous les domaines, sans une once de spontanéité. Elle se demanda si Jane s'amusait parfois avec lui, ou si elle était tout aussi froide et impassible. Peut-être faisaient-ils l'amour sur des créneaux prédéterminés, eux aussi.

Il gara sa Mercedes dans l'allée et entra sans frapper, aussi séduisant que d'habitude dans son costume. Wendy portait un jean et un pull lavande qu'elle avait acheté à Paris. D'habitude, elle faisait un effort vestimentaire, mais pas cette fois. Il ne se précipita pas pour l'embrasser, se contentant d'un sourire – sans doute le signe qu'elle ne lui avait pas manqué. Wendy se demanda si elle lui avait déjà manqué un jour. En tout cas certainement pas comme elle s'était languie de lui pendant six jours par semaine ces six dernières années.

— Tu es magnifique. Tu t'es coupé les cheveux ?
— Un peu.

Elle lui rendit son sourire et sentit ce petit déchirement familier qui lui brisait le cœur. Sauf que cette fois-ci, c'était parce que son cœur tentait de se libérer.

Jeff ouvrit la bouteille qu'il avait apportée et lui tendit un verre dont elle but une gorgée. Elle avait déjà mis le couvert et préparé le dîner. À table, ils ne parlèrent que de son travail à lui, comme d'habitude, et il ne lui posa pas une seule question sur Paris. À 21 h 30, le repas terminé, Jeff monta prendre une douche avant d'aller se coucher. Il ne l'avait pas encore touchée, ne l'avait même pas embrassée. Elle se rendit compte que c'était toujours ainsi. Ça ne l'avait jamais marquée auparavant, mais à présent c'était flagrant. Il ne l'avait pas vue depuis un mois et donnait pourtant l'impression qu'elle ne lui avait pas manqué du tout, car il avait toujours su qu'elle reviendrait.

Il l'attendait sous la couette quand elle émergea de la salle de bains dans une nuisette en satin qu'elle fit glisser sur ses épaules. Le tissu atterrit par terre, et elle le rejoignit dans le lit. Pendant un instant, elle s'en voulut du désir qu'elle ressentait encore, même devant son manque d'efforts. Mais elle avait l'esprit clair à présent.

Il lui fit aussi bien l'amour qu'à l'accoutumée. C'était un amant prodigieux, mais qui ne la faisait pas se sentir aimée. Ensuite, il se leva pour un brin de toilette, puis revint se coucher. Dix minutes plus tard, il dormait à poings fermés. Loin d'elle. Elle s'allongea en songeant que c'était la dernière fois qu'ils partageaient un lit. Elle s'était autorisée cette nuit d'adieu pour se souvenir du peu qu'il lui apportait. Elle voulait être sûre de son choix. Maintenant, elle l'était.

Elle se leva avant lui et l'attendit à la table du petit déjeuner. Il descendit en costume et chemise blanche fraîchement dépliée de son attaché-case, impeccable. Wendy, au contraire, était complètement échevelée et s'en fichait. Il lut le journal puis, à 8 heures tapantes, se leva, lui adressa un sourire et lui dit :

— À mercredi prochain, si l'on ne se voit pas d'ici là.

C'est à ce moment qu'elle dévia du script. Le regard triste, elle déclara doucement :

— Je ne crois pas, Jeff. C'est fini. Je suis sûre que tu n'auras pas de mal à trouver une autre femme pour occuper tes mercredis soir.

— Qu'est-ce que tu racontes ?

On ne congédiait pas Jeff Hunter. C'était lui qui se séparait des autres.

— Tu as très bien compris. Je tenais à te voir une dernière fois. On aurait dû arrêter il y a longtemps, et je m'en rends enfin compte. Comme une idiote, j'ai continué à espérer qu'un jour tu quitterais Jane. Mais ça n'arrivera jamais. Je le comprends enfin.

— Je n'ai jamais dit que ça n'arriverait jamais, Wendy. Dans quelques années…

— Dans quelques années, j'aurai 40 ans et j'aurai gâché neuf ans de ma vie avec toi, peut-être plus. J'ai décidé de m'arrêter à six. Tu ne vas jamais quitter Jane, et je refuse d'être ton plan cul pour le restant de mes jours, ou jusqu'à ce que tu me remplaces par un modèle plus récent.

— C'est horrible, ce que tu dis.

Il semblait furieux, pour une fois, de ne pas contrôler la situation. Elle ne le laissait plus faire.

— C'est la manière dont tu m'as traitée qui est horrible, mais comme je t'ai laissé faire, je suis aussi responsable. Au revoir, Jeff.

Elle ouvrit la porte de la cuisine donnant sur l'allée et il la dévisagea, sans bouger.

— C'est ridicule. Dînons ensemble ce soir, on pourra en rediscuter.

— Qu'est-ce que tu veux dire de plus ? Tu veux qu'on parle du nombre d'années passées à attendre ton divorce ? On ne sort même plus. Tu viens chez moi une fois par semaine pour manger, coucher avec moi, et de temps en temps tu passes boire un verre de vin quand ça t'arrange. Je mérite mieux que ça. Un homme qui m'aime, déjà. Tu n'es plus amoureux de moi depuis des années, si tant est que tu l'aies été un jour. J'en ai marre d'être ton bouche-trou.

— Qu'est-ce qui t'est arrivé à Paris ? demanda-t-il, sincèrement perplexe.

— Je me suis réveillée, c'est tout.

— C'est à cause d'Aspen ?

— Entre autres. C'est la meilleure chose à faire.

Il s'approcha et tenta de l'embrasser, mais elle le repoussa. Elle ne pouvait pas prendre ce risque. Elle savait qu'en le laissant faire elle retomberait dans le piège dont elle voulait se libérer. Quelque part, ailleurs, il existait un homme capable de l'aimer sept jours par semaine, et pas seulement le mercredi avant de retrouver sa femme.

Il passa la porte, l'air perdu, et se tourna vers elle de nouveau.

— Si tu pouvais attendre encore un petit peu…

Elle le coupa.

— Rien ne changera. On le sait tous les deux.

Il s'éloigna alors, et elle ferma la porte derrière lui. Elle entendit sa voiture quitter l'allée quelques minutes plus tard. Après son départ, elle se rendit compte que cela faisait des années qu'il ne lui avait pas déclaré son amour, alors qu'il essayait encore de la convaincre de rester son amante. Elle savait qu'elle avait pris la bonne décision, mais soudain elle paniqua en mesurant l'ampleur des conséquences. Et si elle restait célibataire pour toujours ? Et si elle ne rencontrait personne d'autre ? Et si elle mourait seule ? Mais ça n'avait aucune importance. Quoi qu'il arrive, ce serait toujours mieux que de rester avec lui. Jeff ne lui apportait rien d'autre que solitude et douleur. Et elle avait eu le courage d'y mettre fin. C'était terminé pour de bon. Elle ressentait de la tristesse, mais surtout du soulagement.

Tout en s'habillant pour aller travailler, Wendy se sentit entière et fière d'elle. Et très courageuse. Elle était libre.

14

Tom Wylie arriva légèrement débraillé et avec dix minutes de retard quand il prit son service du mardi au centre médical Alta Bates Summit. C'était son premier jour depuis son retour de Paris. Il était plus séduisant que jamais lorsqu'il passa par le bureau des infirmières pour parcourir le tableau des admissions, sans un regard pour les femmes qui l'entouraient – une première.

— Regardez un peu qui voilà ! annonça la doyenne des infirmières, ravie de le voir.

Ses plaisanteries et sa bonne humeur leur avaient manqué.

— C'était comment Paris ?

Un sourire accroché aux lèvres, il prit une expression rêveuse. Il avait l'air d'un homme comblé.

— Fantastique, bien mieux que je ne l'imaginais. Qu'est-ce qu'on a, aujourd'hui ? dit-il en lisant la liste des admissions.

Il n'émit ni sous-entendu ni commentaire grivois, ce qui était d'ordinaire sa marque de fabrique. Toutes les infirmières le remarquèrent et se perdirent en messes basses dès qu'il quitta le bureau. Il revint une demi-heure plus tard, avec les instructions et une liste d'examens à faire passer aux patients. Il voulait un électroencéphalogramme et une IRM immédiatement pour une commotion cérébrale.

— Mais qu'est-ce qui vous est arrivé ? demanda Maisie, son infirmière préférée, d'un ton déçu.

Il avait l'habitude de la demander en mariage au moins une fois par semaine. À 60 ans, mariée et six fois grand-mère, il était évident pour l'un comme pour l'autre que ce badinage n'était pas sérieux. Mais cette petite blague égayait ses journées. Peut-être souffrait-il du décalage horaire. Il semblait pourtant de bonne humeur et frais comme un gardon.

— Combien de cœurs avez-vous brisés à Paris ?

— Aucun. J'ai rencontré la femme de ma vie. Ça fait deux jours que je nettoie mon appartement de fond en comble pour son arrivée. En parlant de ça, vous sauriez où je peux acheter un aspirateur ?

Elle le dévisagea, éberluée. Ce n'était pas le Tom Wylie qu'elle connaissait.

— C'est du sérieux, on dirait ! Je vous conseille les magasins d'électroménager et les grandes surfaces. Vous saurez vous en servir ? le taquina-t-elle.

Le grand Tom Wylie avait succombé à l'amour. La gent féminine du centre médical allait être dévastée, mais Maisie était heureuse pour lui. On aurait dit un ado anxieux avec sa première petite amie – ce qui n'était pas si éloigné de la vérité : Valérie était la première femme dont il tombait amoureux. C'était une expérience inédite pour lui.

— Il y a une méthode précise pour passer l'aspirateur ? J'ai besoin de suivre des cours ou de demander un permis ? Je croyais qu'il suffisait de le brancher et qu'il nettoyait tout seul ! dit-il, paniqué.

— Oui, oui, mais selon les accessoires, il a différentes fonctions.

— Est-ce que ça fait aussi la vaisselle et la lessive ? Je crois que je n'ai jamais fait le ménage chez moi depuis mon arrivée. En tout cas pas à fond. J'achète de nouvelles chaussettes et de nouveaux caleçons quand ils sont sales.

— Mon Dieu, c'est terrifiant. Vous feriez bien de vérifier ce qui traîne sous le lit.

Il aurait dû le faire avant de lancer cette même blague à Bill.

— Bon sang... Bien vu... Il y a probablement les culottes de la moitié des employées de l'hôpital.

Il n'avait jamais eu à fournir trop d'efforts pour ses batifolages, tant les femmes lui tombaient dans les bras.

— Voilà qui va briser le cœur des infirmières et des étudiantes, dit Maisie. Alors comme ça, l'amour de votre vie est française ?

— Tout à fait. C'est la femme la plus sexy et la plus belle du monde.

— Entre 22 et 25 ans, je présume.

— 42 ans, jamais mariée, et sans enfants. C'est une psychiatre qui travaille avec les secours français.

— Elle a l'air parfaite pour vous. Vous feriez bien de vous procurer cet aspirateur en vitesse, d'apprendre à l'utiliser et de passer un coup sous le lit, conclut-elle en saisissant un dossier avant de sortir du bureau.

Avant la fin de la journée, la rumeur s'était répandue comme une traînée de poudre : Tom Wylie s'était trouvé une petite amie à Paris. Ceux qui le connaissaient bien ne prirent pas la nouvelle au sérieux. Il trouverait une autre femme en moins de temps qu'il en fallait pour le dire. Mais Maisie y croyait dur comme fer : il était prêt à faire le ménage pour cette inconnue. Elle suggéra aux jeunes infirmières de réclamer leurs culottes, avant qu'il ne s'en débarrasse. Toutes s'amusèrent de cette idée. Certaines ressentaient une pointe de déception, mais la plupart s'en fichaient. Tom était très apprécié et restait un collègue divertissant, même si une Française l'accaparait quelque temps. Qui qu'elle soit, cette amourette ne durerait pas.

Ce soir-là, Tom fit ce que lui suggérait Maisie et pesta en déterrant une dizaine de strings abandonnés sous son lit.

— Merci, Maisie...

Il attendit minuit et appela Valérie. Elle était en route pour le travail.

— Tu me manques ! J'essaie de transformer mon appartement en une habitation décente avant ton arrivée. Tu sais, on ferait mieux de réserver un hôtel. Je viens d'acheter un aspirateur surpuissant multifonctions top du top. Il m'a coûté plus cher que ma voiture, et il va me falloir un diplôme d'ingénieur pour comprendre la notice.

Valérie s'esclaffa. Elle ne doutait pas qu'il s'agissait d'une première pour lui.

— On verra ça ensemble, proposa-t-elle.

Cette pensée le fit frissonner d'effroi, vu ce qu'il venait de retrouver sous son lit parmi des moutons de poussière de la taille de son poing.

Ils bavardèrent jusqu'à ce qu'elle arrive au travail. L'imaginant dans ce bureau qui lui manquait déjà, Tom lui souhaita une belle journée, lui dit qu'il l'aimait et, après avoir raccroché, resta allongé sur le lit, un sourire aux lèvres. Il avait hâte de l'accueillir, même s'il fallait pour ça troquer son rôle de Don Juan pour celui de femme de ménage. Après tout, il ne rêvait plus que de l'impressionner.

Autour d'un dîner le lendemain, il décrivit son nouveau quotidien à Bill qui se tordait de rire.

— Les infirmières d'Alta Bates Summit doivent être au comble de la déprime, commenta-t-il.

Bill était heureux de déguster un succulent steak en sa compagnie. Ils avaient beaucoup à échanger sur leurs patients respectifs et trouvaient tous deux difficile de reprendre leurs marques. Paris leur avait fait beaucoup de bien, pour des raisons complètement différentes. Si Tom était tombé amoureux à Paris, Bill s'y était fait des amis.

Ses filles lui manquaient cruellement, et il attendait avec impatience l'arrivée de l'équipe française comme une nouvelle distraction. Les deux hommes s'accordèrent sur un créneau pour aller jouer au tennis pendant le week-end – Tom était membre d'un club de Berkeley. Bill avait pensé plusieurs fois à appeler Wendy, mais avait renoncé en songeant qu'elle devait être occupée à gérer la délicate situation avec son petit ami. Il savait de toute façon qu'il la reverrait bientôt et ne voulait pas s'imposer. C'était plus simple de sortir avec Tom. Ses filles lui avaient demandé des nouvelles de Wendy plusieurs fois, et il avait bien été forcé de leur dire qu'il ne l'avait pas revue depuis son retour. Il était retourné travailler à l'hôpital de San Francisco dès l'atterrissage. Rien n'avait changé. Au bout d'une semaine, Paris ne lui semblait plus qu'un rêve lointain.

La tension entre Stephanie et Andy était palpable. Ni l'un ni l'autre ne savait comment la gérer et encore moins la désamorcer. C'était comme s'ils ne parlaient plus la même langue, et le ressentiment entre eux avait enflé dans des proportions colossales en quatre semaines. Andy se drapait dans la rancœur qu'il avait à l'endroit du travail de Stephanie et de son séjour à Paris, ce qui agaçait celle-ci autant que cela la peinait.

Elle brûlait de lui dire qu'elle voulait le quitter, mais préférait éviter tout conflit pour le moment. Quelque chose d'autre la retenait, mais elle ne savait pas quoi. Ils essayaient tous les deux d'être aimables l'un envers l'autre, mais la plupart du temps, ça leur revenait en pleine figure et l'un ou l'autre provoquait une dispute. Elle était fatiguée de cette aigreur permanente, de cette désapprobation, de ces reproches et de cette culpabilité dont il l'accablait. Elle s'en voulait déjà suffisamment au sujet de Gabriel. Mais ça, Andy ne pouvait pas le savoir. Stephanie voulait apaiser les choses entre eux, mais, à chaque fois qu'elle essayait, elle ne faisait qu'accroître les tensions.

De temps en temps, lorsqu'il avait une gentille attention à son égard ou qu'il tentait d'enterrer la hache de guerre, elle apercevait l'éclat du Andy d'avant, celui dont elle était tombée amoureuse. Mais il suffisait de quelques minutes pour qu'une dispute éclate de nouveau et qu'ils s'affrontent. Stephanie ne savait pas comment rompre ce cycle infernal. C'était comme si Andy lui fournissait toutes les preuves que leur mariage ne fonctionnait plus.

Gabriel ne lui facilitait pas la tâche non plus. Il lui manquait terriblement. Pourtant, alors que ça ne faisait pas longtemps qu'il était entré dans sa vie, leur liaison la plaçait déjà dans une situation potentielle-ment explosive. S'ils mettaient vraiment un terme à leur mariage, elle voulait en sortir avec dignité. Elle ne voulait pas qu'Andy découvre sa liaison. Cette liai-son n'était pas la cause du dysfonctionnement de leur mariage, mais simplement un symptôme. Même si ça n'arrangeait pas les choses.

Gabriel l'appelait une dizaine de fois par jour, pour lui dire qu'il l'aimait ou pour savoir ce qu'elle faisait. À Paris, cette manie lui avait paru sexy et adorable. À San Francisco, à deux pas de son mari et avec son fils sur les genoux, c'était trop de pression. Il lui arrivait de lui envoyer d'interminables SMS, cinq ou six d'affilée, et Andy lui demandait alors qui lui envoyait autant de messages. Elle commençait à être à court de mensonges. Malgré ses demandes, Gabriel ne ralentissait pas la cadence, tant il était impatient de vivre leur histoire au grand jour. Il pensait qu'il était temps pour Andy de se rendre compte que c'était fini, et tant pis pour le scandale.

Dès qu'elle retourna travailler, elle mesura tout ce qui lui manquerait si elle démissionnait. Gravir les échelons de la clinique de l'université de Californie avait été si important à ses yeux. Il lui faudrait tout recommencer en France, redevenir la nouvelle, l'intruse, contrainte de rebâtir sa réputation dans un pays étranger. Le respect et l'aura qu'elle avait gagnés au fil des années passées à la clinique allaient lui manquer. Elle se demanda si Gabriel mesurait vraiment le sacrifice que cela représentait, ou combien ses enfants seraient perturbés par un divorce. Ceux de Gabriel, plus âgés, s'étaient faits à l'idée de la séparation de leurs parents depuis longtemps. Mais pour Aden et Ryan, des parents divorcés, cela serait terrible et demanderait une adaptation considérable. Sans compter le déménagement dans un pays étranger, et l'éloignement de leur père. Elle se remémora la douleur de Bill Browning lorsqu'il évoquait ses filles qu'il voyait à peine. Et voilà qu'elle s'apprêtait à faire subir la même chose à Andy et leurs fils.

D'un autre côté, elle ne voulait pas rester prisonnière d'une union qui ne fonctionnait plus. Il y avait beaucoup de choses à démêler. Elle ne voulait pas mettre fin à sa liaison avec Gabriel, loin de là. Mais elle avait besoin de faire les choses plus progressivement, par égard et respect pour Andy également – ce que Gabriel trouvait ridicule et superflu. D'après lui, leur histoire était finie, et Andy n'avait qu'à agir en adulte, passer à autre chose et lui laisser la place. Il était relativement dépourvu d'empathie et ne comprenait pas son envie de quitter Andy en douceur.

Mais au moment où elle espérait de son mari qu'il se montre délicat et raisonnable, ce dernier jouait à l'imbécile. Et quand, au contraire, elle abandonnait tout espoir, il faisait quelque chose d'adorable au point de lui faire monter la larme à l'œil et culpabiliser de façon atroce. Tout était doux-amer. Elle avait trouvé une photo de mariage dans son placard et s'était assise sur son lit pour la contempler. Même à 28 ans, ils avaient l'air de gosses. Ils étaient si naïfs. Ils s'aimaient. À l'époque, Andy trouvait génial qu'elle soit médecin. Alors que maintenant il trouvait qu'elle faisait tout de travers et, plus il échouait à écrire, plus il lui en voulait de réussir.

— Ça ne va pas fort, n'est-ce pas ? dit-il d'une voix douce un matin en la trouvant devant la fenêtre.

Quand elle se tourna vers lui, elle avait les yeux mouillés de larmes.

— Non, pas vraiment.

Elle se demandait dans quelle mesure leur mariage aurait pu être sauvé si elle n'était pas allée à Paris. Andy ne lui en aurait pas autant voulu, et elle n'aurait pas rencontré Gabriel. Mais la vérité, c'était qu'Andy nourrissait une rancœur qui lui semblait injuste. Ils vivaient du salaire qu'elle gagnait, et de ça il ne se plaignait pas. En revanche, ses heures supplémentaires le dérangeaient.

— Qu'est-ce que tu proposes ? demanda-t-il d'un air triste, sans l'approcher.

C'était comme si une paroi de verre les séparait, sans porte pour la traverser. Ils se voyaient mais leurs corps ne se touchaient plus, et leurs cœurs non plus.

— Je ne sais pas encore. Et toi ?

— Une thérapie de couple ? Une pause ? Le divorce ?

L'entendre le dire à voix haute était désespérant. Or leur situation était désespérée, et c'était bel et bien ce qu'elle voulait. Mais elle préférait ne pas le dire tout de suite.

— Peut-être qu'on devrait attendre la fin du programme d'échange avec les Français. Je vais être très occupée pendant les quatre semaines à venir.

Son cœur battait la chamade dès qu'elle pensait à l'arrivée de plus en plus imminente de Gabriel. Dans sept jours, il serait là.

— Je pourrais aller chez ma mère, proposa-t-il. Ça nous permettrait de souffler.

L'idée était pathétique. Ils venaient d'avoir un mois pour souffler et, à son retour de Paris, les choses étaient pires encore.

— Tu en as parlé avec ta mère ?

Fils unique d'une mère veuve, il en était bien plus proche que Stephanie de ses propres parents – qui prenaient garde à ne pas se montrer intrusifs et à laisser leurs filles vivre leur vie maintenant qu'elles étaient adultes.

— Elle dit qu'on peut faire en sorte que ça marche, si on s'en donne les moyens. Ça ne dépend que de nous. J'espère qu'elle a raison mais, pour être honnête, je ne vois pas ce qu'on peut faire. Quelque chose doit changer.

— Mais quoi ?

— Peut-être qu'il faudrait que je trouve un travail plus stable, pour me sentir moins dépendant du tien. J'ai du mal à l'admettre, mais ça fait un an ou deux que je suis jaloux de ta carrière. Tu sais ce que tu veux, ce que tu fais et tu y excelles. Tu te donnes les moyens de tes ambitions. Alors que moi, je traîne. Je ne sais même pas ce que je vaux comme écrivain et je ne veux plus travailler dans la presse. Je suis paumé.

Il avait les larmes aux yeux, et elle en eut de la peine pour lui. Reconnaître sa jalousie était un pas immense.

— Il faut que je suive mes rêves de nouveau. Un jour, tu seras cheffe de service, et moi, je ne serai rien.

Il l'avait dit avec la déception d'un petit garçon. Or ce dont elle avait besoin, c'était d'un homme, pas d'un troisième enfant. Gabriel, lui, se comportait en adulte. La jeunesse et l'innocence d'Andy avaient perdu de leur charme et s'apparentaient maintenant à de l'immaturité. Elle savait que c'était un tort, mais elle ne pouvait s'empêcher de comparer les deux hommes sur tous les plans, et Andy était à la traîne depuis un moment. Il avait laissé la porte grande ouverte pour que Gabriel s'y engouffre et la fasse rêver. Elle aurait voulu rester fidèle à son mari, mais Gabriel était une tentation trop grande.

Andy sentait qu'il l'avait perdue et, après tous ces SMS et appels mystérieux, il avait le sentiment qu'il y avait quelqu'un d'autre, même si Stephanie le niait.

Elle enfila son manteau et partit pour la clinique, mettant ainsi fin à la conversation. Il n'y avait rien à faire. Leur couple était maintenu en vie artificiellement, et la seule issue semblait être de le débrancher.

Wendy l'appela pendant le week-end pour savoir comment les choses évoluaient.

— Assez mal, je dois dire, avoua Stephanie. Il y a beaucoup de tensions depuis mon retour. Et de tristesse. On a tous les deux conscience que notre mariage est mort.

— Tu lui as dit pour Gabriel ?

— Je ne veux pas. Pas tant que le programme d'échange n'est pas terminé. Je ne veux pas d'un scandale public. Après le départ de Gabriel, je dirai à Andy que c'est fini. J'espère juste que Gabriel saura réfréner ses ardeurs tant qu'il sera là. Il m'envoie un million de messages par jour, et Andy n'arrête pas de me demander qui m'appelle. J'ai demandé à Gabriel de ralentir les SMS, mais il l'a mal pris. C'est compliqué.

Elle semblait stressée, et Wendy n'enviait pas sa situation.

— Et toi ? demanda Stephanie. Tu as revu ton amant ?

— Oui, dit-elle avec un soupir. J'ai passé la nuit avec lui. Je voulais le voir une dernière fois. La pause d'un mois m'a donné du recul. J'étais comme une poupée que l'on sort du placard une fois par semaine pour faire mumuse et qu'on range pour retourner voir sa femme. Je ne crois pas qu'il me connaisse vraiment ni qu'il tienne à moi. Avant de partir, il m'a dit « à mercredi », et j'ai répondu « non ». C'était fini pour moi. Il avait l'air vraiment choqué. Je n'ai pas de nouvelles depuis. Pas un mot, rien. Pas de supplications, pas de SMS, pas d'appel. Peut-être que lui aussi en avait marre.

Ou bien il n'était simplement pas amoureux. Ça lui semblait plausible à présent.

Stephanie était impressionnée par son courage. Elle ne pensait pas que Wendy aurait le cran de le quitter.

— Il te manque ?

— Beaucoup moins que je l'imaginais. Je me sens seule, mais c'est aussi parce que je lui ai sacrifié toute une partie de ma vie. Il faut que je sorte et que je rencontre du monde. L'arrivée des Français me fera du bien. Et au moins je n'ai pas l'impression de m'être résignée à attendre éternellement un homme qui ne m'aime pas et ne quittera jamais sa femme.

Cette conversation réveillait les peurs de Stephanie. Et si Gabriel faisait la même chose une fois qu'elle aurait quitté Andy, lâché son boulot et déménagé en France ? Elle se retrouverait coincée. Elle se souvint des avertissements de Valérie et Marie-Laure : les hommes mariés ne divorcent pas, ou rarement, pour épouser leur amante. Ils ont besoin des deux femmes pour faire fonctionner leur mariage. Mais ce n'était pas du tout ce qu'elle ressentait avec Andy et Gabriel. Avoir deux hommes dans sa vie et dans sa tête la rendait folle. Elle avait l'impression d'être écartelée dans mille directions à la fois, ou plutôt deux, ce qui était bien pire.

— Préviens-moi si tu passes à San Francisco, on ira dîner ensemble, dit Stephanie.

— J'aimerais bien inviter tout le monde chez moi pour un barbecue le week-end où les Français arriveront.

L'idée plut à Stephanie.

— Tu amènerais ton mari ? demanda Wendy.

— Non, ça ne l'intéresserait pas de toute façon. Il est hostile à tout ce qui touche à mon métier. Il restera à la maison avec les garçons. Et puis ce serait trop stressant qu'Andy et Gabriel soient au même endroit.

Wendy était d'accord.

— Je n'arrive pas à croire qu'au bout de six ans je suis enfin libre, dit-elle, un peu étourdie. Bon, eh bien, à la semaine prochaine. Il faudra qu'on organise une soirée entre filles avec Valérie et Marie-Laure. Ça serait sympa.

— Absolument.

Après cet appel, Stephanie se sentit mieux. C'était un soulagement de pouvoir être honnête avec quelqu'un, elle qui passait son temps à mentir à Andy. Rien qu'être avec lui était un mensonge. Heureusement qu'il n'avait pas tenté de lui faire l'amour depuis son retour, elle en aurait été incapable. Ils ne l'avaient pas fait depuis déjà un mois quand elle était partie pour Paris. Elle avait du mal à comprendre comment elle pouvait se sentir si distante et si peu attirée par l'homme qu'elle avait autrefois tant aimé. En y réfléchissant bien, cela faisait maintenant deux ans que la rancœur d'Andy les avait éloignés.

Deux jours après l'appel passé à Wendy, Stephanie reçut un courrier du bureau du maire qui l'invitait à une réception organisée en l'honneur des équipes américaine et française. Les noms des huit participants étaient listés par ordre alphabétique, et celui de Stephanie se trouvait juste au-dessus de celui de Gabriel. La réception devait avoir lieu dans la rotonde de l'hôtel de ville. Elle regarda fixement le carton, en se demandant quoi faire. Andy n'avait jamais voulu être associé à son milieu professionnel, et le voyage à Paris l'avait mis hors de lui. Elle décida de cacher le courrier, afin de ne pas se retrouver dans la même pièce avec les deux hommes. Perspicace comme il pouvait parfois l'être, Andy risquait de se douter de quelque chose s'il rencontrait Gabriel. C'était une source de stress dont elle n'avait pas besoin. Elle s'apprêtait à glisser le carton dans sa poche quand Andy entra dans la pièce. L'invitation était imprimée sur un papier blanc très élégamment décoré d'une bande dorée et des drapeaux français et américain entrelacés.

— Qu'est-ce que c'est ?

On l'aurait dit doté d'un radar. Elle s'agaça de sa question.

— Rien, une invitation pour l'arrivée des Français. Ça ne va pas te plaire.

Il lui prit le carton des mains, le lut, puis la dévisagea.

— Ils organisent une soirée en ton honneur, Steph, et tu ne comptais pas m'en parler ?

Il semblait blessé, et elle sentit son cœur battre à tout rompre. S'y rendre avec son mari, en présence de son amant, serait un véritable cauchemar. Elle n'avait aucune idée de comment gérer la situation, et ne voulait pas s'en préoccuper.

— Je ne pensais pas que ça t'intéresserait. Ce n'est pas grand-chose.

— Bien sûr que si. Évidemment que je veux venir.

La soirée aurait lieu au début du séjour des Français. Si Andy se rendait compte de quoi que ce soit, la situation avec Gabriel deviendrait encore plus délicate.

— Très bien, dans ce cas on ira.

Il n'y avait rien d'autre à dire. Elle lui reprit l'invitation et la rangea dans sa poche en espérant qu'il oublie.

— On est encore mariés, dit-il.

Comme si elle avait besoin qu'on le lui rappelle. Gabriel avait raison, il fallait régler les choses au plus vite. Et de son côté à lui aussi. Il n'avait toujours pas consulté son avocat. Cette situation ne ressemblait pas à Stephanie.

15

Marie-Laure et Valérie, assises l'une à côté de l'autre, regardaient par le hublot tandis que l'avion amorçait sa descente au-dessus de l'eau pour atterrir sur la piste de l'aéroport de San Francisco. Il était 22 heures à Paris et 13 heures à San Francisco, mais elles étaient parfaitement éveillées.

De l'autre côté de l'allée centrale, Paul avait hâte de profiter de la vie nocturne à l'américaine, même si Tom l'avait prévenu qu'il ne serait pas disponible ce premier week-end. Ce dernier voulait passer du temps avec Valérie, qu'il venait même accueillir à l'aéroport, pour la conduire à Oakland.

L'appartement de Tom n'avait jamais été aussi propre. Il avait même acheté des plaids berbères colorés pour couvrir les taches du canapé, ainsi que de nouvelles lampes, des rideaux et un tapis chez IKEA. Il était allé jusqu'à faire l'acquisition d'un service d'assiettes et de verres pour remplacer sa propre vaisselle dépareillée et ébréchée. Le tout dans l'espoir que Valérie ne s'enfuirait pas en courant après avoir mis un pied chez lui. Il avait disposé des fleurs dans des vases sur toutes les tables, car il savait qu'elle les aimait. Les femmes qu'il avait invitées jusque-là n'auraient pas reconnu l'endroit. Il se sentait comme un gosse, trépignant derrière le barrage de la douane. Vêtu d'un blazer en tweed, d'un jean, d'une chemise bleue et de chaussures en daim marron, il avait une allure de mannequin. Plusieurs femmes le dévoraient des yeux, mais il ne leur prêta pas attention. Son regard était rivé sur la porte qui révèlerait Valérie.

N'ayant rien à déclarer à la douane, et puisqu'ils étaient sur le sol américain pour des raisons professionnelles, les quatre médecins français passèrent rapidement les contrôles et sortirent du terminal ensemble. Ils furent ravis de trouver Tom. Ce dernier enlaça immédiatement Valérie et l'embrassa. Elle s'était débrouillée pour avoir l'air aussi sexy et élégante qu'à Paris, même après onze heures de vol. Il passa un bras autour de sa taille et ne la lâcha plus. Un minibus et son chauffeur les attendaient dehors pour les conduire à l'hôtel. Ils séjournaient tous au Westin St. Francis à Union Square. Tom avait conseillé à Paul de jeter un coup d'œil au bar du Clift Hotel non loin, qui était réputé pour être fréquenté par de jolies jeunes femmes. Il lui suggéra un bon nombre d'autres endroits, puisqu'il ne serait pas là en personne pour lui servir de guide.

Gabriel avait l'intention d'appeler Stephanie depuis l'hôtel, car elle avait promis de le rejoindre dès que possible. Wendy devait sortir pour dîner avec Marie-Laure. Elle allait lui faire une visite des sites incontournables de la ville – une sélection plus chaste que celle de Paul. Ils étaient tous de bonne humeur et prirent le temps de bavarder un peu avant que Tom ne leur vole Valérie. Dès que les autres médecins s'engouffrèrent dans le minibus, il l'embrassa passionnément. Le couple ne pensait qu'à rentrer à l'appartement et se retrouver au lit. Alors qu'il conduisait, elle lui caressa l'intérieur de la cuisse et l'embrassa au creux du cou.

— Je vais faire une embardée par-dessus le pont si tu continues... prévint-il.

Ils traversaient le pont qui reliait San Francisco à Oakland et n'étaient plus très loin de leur destination, située dans le quartier Temescal, à cinq minutes en voiture du lieu de travail de Tom. Pendant tout le trajet, ils parlèrent à bâtons rompus. Il y avait des boutiques et des restaurants tout autour. Le quartier était en vogue chez les jeunes actifs. L'immeuble de Tom était ancien, bien que sans grand cachet, mais le loyer était raisonnable, et Tom ne s'était jamais inquiété de son esthétisme. À présent si, et il retint son souffle en portant la valise de Valérie et en la voyant passer la porte. Elle regarda autour d'elle, lui sourit et passa ses bras autour de sa nuque. L'appartement avait un charme décalé et les nouvelles acquisitions l'avaient considérablement amélioré. Elle sentait que Tom avait fait beaucoup d'efforts pour l'impressionner. Elle était très touchée. Un panorama de la ville – trouvé chez IKEA – était encadré au-dessus de la cheminée. Dans la chambre, il avait suspendu une photographie de Paris au-dessus du lit, pour qu'elle se sente chez elle. Observatrice et attentive, elle remarqua immédiatement les fleurs qui égayaient la pièce et embrassa Tom avec passion.

— Merci d'avoir embelli ton appartement pour moi, Tom.

Il était touché qu'elle apprécie ses efforts. Valérie commença à déboutonner la chemise de Tom avant même qu'il n'ait fini de se débarrasser de sa veste pour la jeter sur le canapé. Quelques minutes plus tard, ils étaient complètement nus dans la chambre, toutes considérations d'aménagement intérieur oubliées. Peu importait la ville dans laquelle ils se trouvaient, tant qu'ils étaient ensemble. Tom était transporté par son parfum, par son corps, par sa sensualité. Après l'amour, ils se reposèrent dans les bras l'un de l'autre, épuisés. Puis il se leva pour aller chercher le champagne qu'il avait acheté pour fêter son arrivée, sans prendre la peine de se rhabiller. Elle le suivit dans la cuisine où il lui tendit une flûte qu'elle accepta pour trinquer, avant de retourner au lit pour parler longuement. Elle voulait se promener pour découvrir le quartier, alors il s'éclipsa pour prendre une douche. Quand il revint dans la chambre, elle était étendue sur le lit, lascive et irrésistible, et elle tenait suspendu à son index un bout de dentelle noire.

— Regarde ce que j'ai trouvé sous le lit, dit-elle d'un ton malicieux.

Tom sentit son cœur s'arrêter. Il pensait avoir tout nettoyé, et voilà qu'elle trouvait un énième string orphelin.

— Oh mon dieu, je suis désolé... J'ai pourtant vérifié partout... Je suis désolé.

Elle éclata de rire et l'embrassa.

— Ne t'excuse pas, c'est le mien.

Il attrapa le sous-vêtement et la poussa sur le lit avec bonheur.

— Coquine ! Tu vas le regretter. Dire que j'ai même acheté un nouvel aspirateur et nettoyé sous le lit, rien que pour toi.

— J'espère bien.

Il l'embrassa et, un instant plus tard, ils refaisaient l'amour. Elle lui avait presque causé une crise cardiaque.

— Petite sauvage, dit-il alors que leurs ébats redoublaient d'intensité.

Elle le plaqua sur le dos et le chevaucha. Valérie était la femme parfaite pour lui. Pas si innocente, et dotée d'un sens de l'humour qui le faisait chavirer. Il aimait tout chez elle et, pour la première fois, ses peurs de perdre l'être aimée ne l'avaient pas arrêté. Il espérait la garder avec lui pour toujours.

Ils finirent enfin par prendre l'air en fin d'après-midi pour profiter des derniers rayons d'une journée ensoleillée et chaude – rien à voir avec Paris. Valérie ne portait pas de manteau, et ils marchèrent un peu. Plus tard, il l'emmena en voiture jusqu'au campus de Berkeley, en passant devant les boutiques hippies de Telegraph Avenue, puis la conduisit jusqu'au centre médical Alta Bates Summit. Après quoi, ils mangèrent un burger dans un petit restaurant près de l'appartement, avant de remonter boire du champagne.

Il lui murmura :

— Bienvenue à la maison.

— Merci, mon amour, répondit-elle en français.

Et il entendit son cœur chanter.

Dès qu'il se retrouva seul à l'hôtel St. Francis, Gabriel appela Stephanie. C'était une chambre tout à fait confortable dans un hôtel d'affaires avec vue sur la ville. Le désespoir l'assaillit quand elle ne décrocha pas. Elle déjeunait avec Andy et les garçons. Il lui envoya un SMS deux minutes plus tard.

Je suis arrivé. Quand est-ce que je te vois ? Je me languis de toi. Je t'aime.

Elle réprima un sourire à la lecture du message et sentit le même frisson qui la saisissait lorsqu'elle le voyait. Ils étaient de nouveau dans la même ville.

Bientôt. Je t'appelle dans trente minutes.

Andy la regarda pianoter sur son écran, l'air sérieux.

— Le boulot ? Je croyais que tu étais de repos aujourd'hui ?

— En théorie, oui. Mais un traumatisme crânien vient d'arriver, il faut que je file. Ils veulent mon avis.

Andy pinça les lèvres, agacé.

Ils n'avaient rien de prévu au programme, de toute façon. Avec l'arrivée de Gabriel, Stephanie avait soigneusement évité tout engagement. Elle débarrassa la table et rinça la vaisselle avant de la ranger dans la machine. Andy devait emmener les enfants jouer au ballon au parc, et il n'avait pas besoin d'elle pour ça.

Elle remonta chercher son sac et sa blouse blanche, et redescendit deux minutes plus tard, visiblement pressée.

— Je t'appelle plus tard, dit-elle en fouillant son sac en quête de ses clés de voiture. Ne m'attends pas, ça avait l'air grave. Je vais peut-être devoir rester un moment.

Andy ne réagit pas, et elle embrassa ses fils avant de partir.

Il lui fallut quinze minutes pour rejoindre l'hôtel. Gabriel lui envoya le numéro de sa chambre, et elle sentit son cœur battre la chamade en montant dans l'ascenseur. Elle avait laissé sa blouse blanche dans la voiture et ne se sentait pas même coupable d'avoir menti à Andy de façon si effrontée. C'était la seule manière de sortir de la maison, et elle avait une envie dévorante de voir Gabriel. Leurs deux semaines de séparation lui avaient fait l'effet d'un siècle.

Elle frappa à la porte et il ouvrit aussitôt, l'attirant dans ses bras d'un même mouvement, pour la serrer si fort qu'elle en eut le souffle coupé.

— Stephanie, tu m'as tellement manqué.

Il lui caressa les cheveux, le visage, et l'embrassa de nouveau, parcourant son corps de ses mains. Elle en fit autant. En quelques minutes, leurs vêtements furent abandonnés par terre, et il l'attira vers le lit où ils firent l'amour jusqu'à croire en mourir de plaisir. Ils attendaient ce moment depuis si longtemps. Autour d'eux, le reste du monde s'évanouissait et, avec lui, leurs inquiétudes, leurs projets, et les personnes qui le peuplaient. Ils étaient seuls sur leur propre planète. Ils firent encore l'amour jusqu'à sombrer dans un sommeil profond. Quand ils se réveillèrent, il faisait nuit noire, et ils s'émerveillèrent de se retrouver.

Ils commandèrent à manger sur le menu du room-service, et elle envoya un message à Andy pour lui dire qu'elle était retenue et qu'elle rentrerait tard. Elle resta concise. Gabriel lui demanda de passer la nuit, le regard suppliant.

— Impossible. J'arriverai peut-être à trouver une excuse à un moment, mais pas le premier soir. Je ne veux pas tenter le diable.

Elle avait un équilibre fragile à tenir, même si Gabriel en était déçu.

— Nous n'avons que quatre semaines devant nous. N'en gâchons pas une minute, plaida-t-il.

— Si notre histoire est sérieuse, nous avons tout le reste de la vie devant nous. Je ne veux pas causer une explosion ou risquer d'éveiller des doutes tant que tu es ici. Il va falloir être prudents, dit-elle en l'embrassant. Je suis toujours mariée et je vis avec mon mari.

— Peut-être que tu aurais dû le quitter avant mon arrivée.

— Ça aurait été pire. Il aurait fallu que je gère les répercussions.

— Essaie de te libérer pour au moins quelques nuits. Peut-être qu'on pourrait partir en week-end quelque part.

Elle aimait beaucoup cette idée, d'autant qu'elle pouvait prétendre partir avec le groupe, sans les conjoints – puisqu'elle était la seule à en avoir un.

— On pourrait aller dans la vallée de Napa, je connais un hôtel merveilleux là-bas. On s'arrangera, le rassura-t-elle en tentant de masquer sa propre nervosité.

Ils dînèrent nus au lit, et elle le quitta à contrecœur après avoir fait l'amour une dernière fois. Elle prit une douche et se rhabilla convenablement. Toute l'équipe devait se retrouver le lendemain pour un brunch au Zuni Café, et Stephanie avait hâte de revoir ses collègues. Andy avait déjà accepté de garder les garçons et de les emmener chez sa mère. Wendy avait également envoyé un message général d'invitation à un barbecue chez elle le dimanche suivant.

Quand elle arriva à la maison, Andy était déjà au lit, mais elle eut l'impression qu'il feignait de dormir. Sans allumer les lumières et sans un mot, elle se glissa dans le lit à côté de lui, songeant à son après-midi et à sa soirée avec Gabriel. C'était réel, elle en était certaine à présent. Ils étaient fous amoureux. Mais Andy, à côté d'elle, était tout aussi réel.

Quand elle se réveilla le lendemain matin, Andy était levé et les garçons déjà habillés pour le petit déjeuner. Elle s'installa à table avec eux, puis ils partirent sans elle pour Orinda. Andy ne lui avait quasiment pas adressé la parole. Il ne lui avait pas posé de questions sur les médecins français, le brunch ou encore le programme de la semaine. La seule chose dont il avait connaissance était la réception à l'hôtel de ville, à laquelle il prévoyait d'assister, ce dont elle se serait bien passée.

On aurait dit un groupe d'amis de longue date quand ils se retrouvèrent à midi au Zuni Café. La carte s'inspirait des gastronomies européennes et américaines, avec des spécialités californiennes, des pâtes et des huîtres fabuleuses, que l'équipe française avait hâte de goûter. Ils s'étreignirent et s'embrassèrent. Tom et Valérie semblaient sereins, heureux, et il émanait d'eux la tranquillité d'un couple stable. Gabriel s'assit à côté de Stephanie pour mieux la dévorer des yeux. Bill était heureux de retrouver Wendy, qui s'enquit aussitôt de Pip et Alex. Paul raconta sa première soirée épique à San Francisco. Marie-Laure, quant à elle, s'était contentée de faire les boutiques avant de retrouver Wendy. Ils étaient tous heureux d'être là. Le lendemain, ils devaient visiter l'hôpital SF General avec Bill pour guide, après une matinée au Department of Emergency Management, le fameux « DEM » responsable de la gestion des situations de crise. Une semaine chargée les attendait. Bill avait hâte de leur montrer son environnement de travail.

Ils formaient un groupe bruyant et joyeux, entre bavardages et éclats de rire, où se mêlaient anglais et français. Valérie demanda à Stephanie comment se passait le retour auprès de son mari.

— L'ambiance est tendue, répondit-elle sans lâcher la main de Gabriel.

— Vous en avez parlé ?

— On est d'accord sur le fait que ça ne va plus entre nous. Je lui en parlerai plus en détail après votre départ. Je ne veux pas remuer trop les choses tant que vous êtes là. Je m'en tiens au plan.

Quelqu'un mentionna la réception à l'hôtel de ville, et Stephanie saisit cette opportunité pour prévenir Gabriel qu'Andy y assisterait. Il en fut contrarié sur-le-champ.

— Comment ça ? Tu l'as invité ? demanda-t-il, sous le choc.

— Bien sûr que non. Il a vu l'invitation et l'a lue avant que je ne puisse l'en empêcher. Depuis, il insiste pour venir. Je ne sais pas ce qui lui prend, d'habitude ces choses-là ne l'intéressent jamais. On va juste devoir rester discrets.

Gabriel garda un air vexé pendant quelques minutes, puis se trouva happé par une autre conversation et oublia tout de l'incident. Tom leur raconta que Valérie lui avait fait croire qu'il avait oublié un string sous le lit.

— J'ai failli avoir une crise cardiaque, dit-il.

Elle s'esclaffa. Elle savait être taquine, malicieuse et sexy, ce qu'il aimait autant que son côté sérieux, sensible, aimant et intelligent. Elle avait toutes les qualités dont il rêvait et qu'il n'avait jamais trouvées réunies chez une seule femme.

— Et de ton côté, ça avance ? demanda discrètement Bill à Wendy.

— C'est réglé. J'ai mis fin à la relation.

Il sembla surpris.

— Je ne pensais pas que tu allais le faire, en tout cas pas avant un moment. Ce n'est pas toujours facile de prendre de la distance.

— Il était temps. Ça avait bien trop traîné, d'ailleurs, mais je ne l'ai compris que récemment. Ça fait deux, voire trois ans, que je me ridiculise avec cette relation, admit-elle.

— Ce qui fait de toi un être humain. Je suis moi-même passé pour un con pendant cinq ans à détester mon ex-femme qui n'était absolument pas faite pour moi. Parfois, il nous faut un peu plus de temps que prévu pour digérer les choses. Je suis fier de toi.

Valérie les informa que Marie-Laure avait dîné deux fois avec le capitaine Bruno Perliot. Cette dernière sembla embarrassée, mais heureuse.

— Il est très gentil.

Ce fut la seule information qu'elle leur donna à son sujet, mais les Américains furent ravis d'apprendre qu'ils se fréquentaient. Bruno avait l'air d'un type bien.

— J'espère que votre séjour ici sera plus paisible que le nôtre à Paris, dit Bill d'un ton grave. En théorie, il ne sera question que de formations, de paperasse et de visites. La plus dangereuse sera mon hôpital. Nos patients se tirent régulièrement dessus en pleine salle d'attente s'ils n'ont pas fini de régler leurs comptes dans la rue. Sérieusement, le plus gros défi au sein de notre service est d'éviter les balles tout en sauvant des vies. C'est un échantillon intéressant de la société.

Il plaisantait mais ne mentait pas. Il y avait bien plus d'armes à feu en circulation aux États-Unis qu'en France.

— Ça fait très western, commenta Marie-Laure.

Ils se promenèrent à travers les étals du marché de Market Street pour gagner le Ferry Building, puis longèrent le remblai de l'Embarcadero. Les touristes affluaient. Ils marchèrent jusqu'à apercevoir la prison Alcatraz et le Golden Gate Bridge, puis ils prirent un taxi jusqu'à l'hôtel et se quittèrent à 17 heures. Tom s'était garé devant l'hôtel, et Valérie et lui retournèrent à Oakland. Marie-Laure, Wendy et Bill s'installèrent au bar de l'hôtel pour prendre un dernier verre, tandis que Stephanie suivait Gabriel dans sa chambre. Paul, quant à lui, retourna au comptoir du Clift, dont il avait apprécié la fréquentation féminine la veille. Il se débrouillait très bien sans Tom pour le guider et avait simplement besoin des bonnes adresses.

Stephanie abandonna Gabriel à 20 heures, malgré sa demande renouvelée de passer la nuit avec lui. Il se faisait insistant, mais elle devait retourner auprès de ses fils. Elle aurait voulu qu'il les rencontre mais, avec Andy dans les parages, c'était inenvisageable. Il fallait qu'elle trouve un autre moment pour ça.

Andy venait de border les enfants quand elle rentra à la maison, pile à temps pour leur souhaiter bonne nuit. Ils s'endormaient déjà à moitié après une belle journée chez leur grand-mère.

— Tu as pris le soleil aujourd'hui, fit remarquer Andy.

— On a marché le long de l'Embarcadero pendant des heures. Ils voulaient voir la vue.

— Tu t'es bien amusée ?

— Le groupe est sympa. Tu les verras mercredi.

Il hocha la tête sans faire de commentaire. Elle feuilleta la documentation envoyée par le DEM, pressée de découvrir l'hôpital SF General avec Bill. Elle n'y avait pas mis les pieds depuis un moment et avait entendu beaucoup de choses positives sur la nouvelle annexe. Elle était heureuse de faire tout cela avec Gabriel. Il lui envoya quatre messages ce soir-là, et elle finit par devoir lui demander d'arrêter et par éteindre son téléphone.

Mardi, Stephanie devait leur faire visiter la clinique de l'université de Californie. Soudain, cette perspective la rendit triste. Elle songea que, si elle déménageait en France pour suivre Gabriel, ses jours à la clinique étaient comptés. Ce serait comme quitter le nid. L'idée de démissionner lui faisait peur. Qui était-elle, sans ce poste ? Ce serait comme se retrouver amputée d'une partie d'elle-même. Et si elle ne trouvait pas d'emploi qui lui plaise en tant qu'expat ? Il y avait tant de choses auxquelles penser qu'elle en fit même des cauchemars cette nuit-là.

16

Le système administratif des secours de San Francisco était complexe, mais pas plus que les structures élaborées à la française. Chaque pays avait sa manière de répartir les services vitaux et de décider de leur gestion. À San Francisco, le DEM était responsable de l'organisation, de la formation, de la communication, de la réponse et de la couverture des urgences quotidiennes et des catastrophes de grande ampleur comme celle de la fusillade à Paris. Il faisait le lien entre les différents services d'intervention et servait de coordinateur essentiel. Le DEM était dirigé par un directeur et ses trois délégués. Lorsque c'était nécessaire, le service engageait les actions d'un centre opérationnel de crise, l'Emergency Operations Center, pour soutenir son action sur le terrain et informer le public.

Le siège du DEM était situé sur Turk Street, dans le quartier de Tenderloin connu pour ses vagabonds et ses toxicomanes, non loin de l'hôtel de l'équipe française à Union Square.

Marie-Laure, Paul et Gabriel prirent un taxi jusque là-bas. Valérie arriva en voiture avec Tom. Deux des trois directeurs délégués s'étaient libérés pour l'occasion. Le directeur général accueillit les ressortissants français et les félicita pour leur gestion de la fusillade de l'école. Comme tout professionnel du milieu, il savait que, quoi qu'en disent les médias, la tragédie aurait pu être bien pire sans l'expertise des secours.

Ils discutèrent pendant quelques minutes, puis chacun des directeurs délégués prit la parole pour expliquer le fonctionnement des premiers secours et les systèmes mis en place en cas de tremblement de terre ou d'attentat terroriste. Tout avait été soigneusement conçu, l'équipement était à la pointe de la technologie, et leur approche était sans cesse remise à jour. Les effectifs étaient solides. C'était un département efficace, qui impressionna les Français. On leur expliqua aussi comment les différents hôpitaux de la baie de San Francisco étaient mis à contribution, comment était organisé le tri des victimes, et par qui. Ils avaient rendez-vous dans les quatre plus grands hôpitaux de la région, ainsi qu'au Bothin Burn Center – une structure d'accueil des grands brûlés qui s'était révélée cruciale lors de l'incendie de l'hôtel en janvier.

La session d'information continua jusqu'à l'heure du déjeuner, puis les directeurs les quittèrent et on les orienta vers un très bon restaurant qui venait d'ouvrir dans le quartier de South of Market.

Ils étaient tous fascinés par les différences avec le système français. L'organisation était bien plus automatisée aux États-Unis, ce qui contrastait avec les nombreux protocoles français et le système plus traditionnel, reposant sur un effectif moindre. Le système français était très lié à l'intervention de la police et des CRS, puisque le terrorisme était malheureusement plus présent en France pour le moment. Aux États-Unis, c'était le FBI et la CIA qui étaient mobilisés en cas d'attentat. Il y avait ici plus de services et de personnel en jeu.

— Tout est plus grand, aux États-Unis, commenta Gabriel.

Il était très impressionné par ce qu'il avait vu jusque-là. Il en parla longuement avec Marie-Laure pendant le déjeuner. Les deux villes et les deux pays avaient beaucoup à apprendre l'un de l'autre, ce qui était tout l'intérêt de l'échange. Ils sortaient enrichis de cette formation.

Le vieux bâtiment de l'hôpital de San Francisco était gigantesque et sinistre, un vrai labyrinthe. Il se trouvait dans le quartier de Potrero Hill. Les médecins arrivèrent par l'entrée des ambulances et firent un long parcours à travers les entrailles de l'établissement, pour finir à l'étage de la chirurgie et des services de traumatologie. C'était la deuxième maison de Bill, et il y était complètement à l'aise. On pouvait comparer l'endroit aux plus vieux hôpitaux de Paris. Les établissements français non plus n'étaient pas lumineux ni spacieux, mais ils étaient tout aussi efficaces. L'hôpital SF General était l'un des meilleurs de la ville en traumatologie. Ils passèrent de service en service, et les Français furent impressionnés par la sévérité des cas qui y étaient soignés. S'ils respectaient déjà Bill après avoir passé du temps avec lui à Paris, leur opinion fut renforcée après cette visite. Les Américains aussi étaient impressionnés. Wendy n'avait jamais mis les pieds ici, et Stephanie pas depuis long-temps. Tous remarquèrent les codes d'accès installés à chaque porte et les gardes armés qui patrouillaient dans les couloirs. La patientèle était potentiellement dangereuse ici, et ces dispositifs rappelaient presque les hôpitaux de prison – c'était d'ailleurs la destination suivante de bon nombre de blessés ici. Des écriteaux demandaient aux patients de se délester de leurs armes en prévision du passage par le détecteur de métaux. Mais Bill ne s'en formalisait pas, il évoluait d'une pièce à l'autre, poussant les lourdes portes de sécurité sans se sentir menacé.

— On dirait une zone de guerre, dit Paul à Bill.

Ils visitèrent également la nouvelle annexe, dont l'équipement extraordinairement moderne offrait un contraste saisissant avec l'ancien bâtiment. Les Français furent stupéfaits d'apprendre que cette exten-sion de l'hôpital avait coûté 900 millions de dollars, dont 800 millions octroyés par la ville et 100 millions par des dotations privées. Bill leur fit rapidement voir l'unité de soins gériatrique, qui était magnifique. La visite, très instructive, se termina à 18 heures.

Marie-Laure et Wendy reconnurent qu'elles étaient épuisées. Valérie voulait revenir un autre jour pour que Bill lui fasse visiter l'unité psychiatrique dont l'hôpital était très fier. Elle était fascinée par tout ce qu'elle avait vu et en parlait avec animation avec Tom en quittant le groupe. Gabriel murmura à l'oreille de Stephanie une invitation à le suivre à l'hôtel.

— Impossible, je dois rentrer voir mes enfants, dit-elle d'une voix douce.

Elle savait qu'Andy serait contrarié si elle traînait, même si elle n'avait pas caché que les quatre prochaines semaines seraient très chargées, et que ce n'était que le début.

— Tu me retrouves plus tard ? insista Gabriel.

Rien ne semblait venir à bout de sa détermination à l'attirer de nouveau dans son lit.

— Pas ce soir. Je dois passer du temps à la maison, sinon Andy va commencer à soupçonner quelque chose et il fera un scandale. C'est lui qui garde les enfants quand je ne suis pas à la maison.

— Tu n'as pas de nounou ?

— Non, juste une aide-ménagère, quelques heures par jour. Le reste du temps, c'est Andy qui s'en occupe. Il travaille de chez nous. Le week-end, on gère ensemble, ou on se relaie si je dois travailler. Andy ne veut pas faire garder les enfants par quelqu'un d'autre alors qu'on peut le faire nous-mêmes. Sa mère était femme au foyer, la mère poule par excellence, et je crois qu'il voudrait que je le devienne aussi. Et puisque je suis absente la plupart du temps, il compense.

Gabriel semblait choqué.

— Je ne connais aucun homme de mon entourage qui fasse ça.

Il comprenait mieux à présent pourquoi elle devait rentrer, même si ça lui déplaisait.

— Tu ne pourrais pas engager une baby-sitter, juste le temps de mon séjour ?

— Andy se poserait trop de questions. Il aime s'occuper des enfants. Mais il s'attend à ce que je fasse de même dès que je ne suis pas au travail.

— Tu n'auras plus à t'en soucier avec moi. On embauchera autant de nounous qu'il le faudra.

C'était généreux de sa part, mais Stephanie se sentit gênée par cette proposition.

Au bout du compte, Gabriel, déçu, retourna à son hôtel avec Paul et Marie-Laure. Ils allaient dîner tous ensemble, et Bill et Wendy se joindraient à eux. Tom et Valérie rentraient à Oakland.

Il était 19 heures quand Stephanie arriva chez elle. Andy donnait le bain aux garçons, et elle s'assit sur le siège des toilettes pour bavarder un peu avec eux.

— Longue journée, commenta Andy.

— Formation au DEM ce matin, et visite de SF General l'après-midi. Ils nous occupent bien. Demain, c'est moi qui mène la visite de la clinique. C'est intéressant de voir comme tous nos hôpitaux fonctionnent différemment.

Elle tenta d'expliquer en quoi pendant que les garçons faisaient gicler de l'eau. Puis elle aida Andy à leur laver les cheveux.

Elle les mit au lit. Andy les avait déjà fait dîner avant le bain. Gabriel lui envoya trois messages pendant qu'elle lisait une histoire aux enfants, et elle lui répondit une fois le livre refermé. Puis elle embrassa les garçons et descendit dans la cuisine. Andy lui dit qu'il avait mangé en même temps que les enfants, mais qu'il lui avait préparé une omelette et qu'il y avait des restes pour elle. Ne sachant pas si elle comptait rentrer pour le dîner, il ne l'avait pas attendue et la laissa manger seule dans la cuisine. Dès qu'il quitta la pièce, elle reçut un nouveau message de Gabriel qui voulait savoir si elle avait changé d'avis pour cette nuit.

J'aimerais pouvoir te rejoindre, mais je dois rester.

Le téléphone resta inactif un moment, le temps pour Gabriel de bouder un peu. Puis il la relança.

Demain ?

Je vais essayer.

Elle sentait peser sur elle toute la pression des responsabilités à la maison, avec Andy comme chaperon l'empêchant de rejoindre l'homme à qui elle voulait faire l'amour chaque minute. Elle se coucha tôt ce soir-là, abandonnant Andy devant la télévision. De toute évidence, il la fuyait, et elle était soulagée de ne pas avoir à lui faire la conversation. Elle n'avait rien à lui dire. Le programme d'échange était bien plus éprouvant ici qu'à Paris, où elle n'avait aucune responsabilité en dehors de la journée de travail, pas de mari, pas d'enfants à retrouver le soir. Jongler entre ses différents rôles à San Francisco était bien plus difficile, et les mensonges qu'elle devait sans cesse inventer ajoutaient au poids de sa culpabilité.

Le lendemain matin, le groupe se retrouva dans le quartier de Mission Bay, devant la nouvelle structure de la clinique de l'université de Californie. D'une modernité absolue à tous les égards – l'acheminement des repas et du matériel était robotisé –, il faisait la fierté de ses employés. Le bâtiment en lui-même était une œuvre d'architecture, au prix de dix ans de conception, dix ans de chantier et 1,52 milliard de dollars. Un administrateur de l'hôpital se joignit à eux pour compléter la présentation qu'en faisait Stephanie. Elle raconta qu'elle avait commencé dans les anciens locaux, à Parnassus, jusqu'à ce que l'hôpital déménage plusieurs de ses services à Mission Bay, près du stade de baseball.

Il avait fallu un temps d'ajustement au personnel hospitalier, tant les bâtiments étaient vastes. Mais à présent, Stephanie adorait y travailler et le trajet depuis chez elle ne lui posait pas problème, tant les conditions de travail y étaient excellentes. Il y avait des labos de recherche, un centre d'oncologie, une maternité, et 183 lits en pédiatrie. Chaque centimètre carré de l'hôpital était à la pointe de la modernité, y compris la clinique ambulatoire de 20 000 mètres carrés et l'hélisurface. À Paris, il n'existait aucune structure hospitalière de cette ampleur, et rien dont les coûts de construction soit comparables. Stephanie avait conscience de sa chance. Elle leur fit visiter les lieux avec une fierté manifeste. Elle s'illuminait lorsqu'elle parlait de son travail, et tout le monde en traumato et aux urgences semblait la connaître. Sa réputation ne passa pas inaperçue, et Valérie et Marie-Laure échangèrent un regard entendu. Elle s'apprêtait à sacrifier beaucoup de choses pour Gabriel.

Ils déjeunèrent dans un restaurant-bar de South of Market doté d'un billard, sur lequel les hommes se ruèrent en attendant d'être servis. Valérie remercia Stephanie pour la visite et la sonda du regard.

— Tu crois vraiment que tu peux abandonner ce poste que tu aimes tant, tout ça, et être heureuse en France ? C'est une décision à prendre très au sérieux.

— Je n'ai pas d'autre option, si je veux faire ma vie avec Gabriel.

Wendy partageait les inquiétudes de Valérie. Elle-même n'aurait jamais renoncé à sa carrière pour un homme.

— C'est un sacrifice énorme, insista Valérie. Au moins, assure-toi d'abord qu'il compte vraiment quitter sa femme. Je ne voudrais pas que tu lâches tout ça pour te retrouver seule dans un appartement minuscule pendant qu'il fête Noël avec femme et enfants, tout en te racontant qu'il a besoin de plus de temps. Là tout de suite, il est fou amoureux. Et je ne dis pas qu'il ne divorcera jamais. Mais quand sa femme va lui réclamer la moitié de son épargne, une pension alimentaire, leur maison de vacances, et tout son patrimoine, ce sera une autre histoire. D'un coup, continuer de vivre avec elle ne lui semblera pas si pénible. En France, je connais plusieurs femmes à qui c'est arrivé.

— Oh, il en va de même ici, intervint Wendy. Jeff m'a sorti toutes les excuses possibles. Il fallait toujours attendre un ou deux ans de plus. Sauf que je n'ai rien sacrifié pour être avec lui – à part mes amis et mon temps. S'il avait fallu que je renonce à ma carrière à Stanford, j'aurais mis fin à cette histoire bien plus tôt. Ç'aurait été la goutte de trop pour moi.

— Il dit qu'il va s'occuper de tout à son retour à Paris.

— Peut-être que tu devrais attendre de voir s'il le fait vraiment, avant de chambouler ta propre vie. Et je ne parle pas seulement de ton mariage. Tu as consacré treize ans à te former pour ce métier. Sois sûre de ce qui t'attend avant de tout plaquer.

Stephanie hocha la tête, saisie de nausée. Elle savait que son père aurait dit la même chose à propos de son poste à la clinique. Mais elle ne voulait pas perdre Gabriel non plus. Une fois de plus, elle était tiraillée. Elle resta silencieuse quand les hommes revinrent pour attaquer les sandwichs qu'ils avaient commandés. Ils parlaient encore des locaux visités le matin.

— Mon pauvre centre médical ne ressemble à rien, à côté, constata Tom d'un ton triste. Mais on y fait du bon boulot quand même.

Son établissement avait une excellente réputation, et il adorait y travailler. Une nouvelle annexe y avait été construite récemment, même si elle n'était pas aussi gigantesque que celles de la clinique de l'université de Californie et de l'hôpital SF General. Ils avaient prévu de visiter le centre médical Alta Bates Summit le jeudi et la clinique de Stanford le vendredi, puis de se concentrer sur les opérations de secours, avec des exercices de mise en situation.

Dans l'après-midi, une conférence sur le terrorisme et une autre sur les catastrophes naturelles les attendaient au centre opérationnel de crise, le Emergency Operations Center. Les tremblements de terre étaient la menace la plus prégnante à San Francisco, et les prévisions statistiques étaient terrifiantes en cas de séisme majeur.

À l'issue des conférences, Stephanie envoya un message à Andy pour lui dire qu'elle avait une réunion jusque tard, et suivit Gabriel à l'hôtel. Il l'avait sollicitée toute la journée, et elle aussi voulait passer du temps avec lui. Elle essaya de lui expliquer son tiraillement entre ses responsabilités, ses enfants et son attirance pour lui, mais il se consumait de désir, et la passion s'empara d'eux à l'instant où ils arrivèrent dans la chambre. Il n'y avait pas de temps pour les discussions et les paroles rassurantes, car à chaque fois qu'ils étaient ensemble ils étaient saisis par un sentiment d'urgence. Cette pression commençait à inquiéter Stephanie. Mais après l'amour, elle se trouva plus détendue et tâcha de ne pas penser à sa carrière et à l'hôpital qu'elle envisageait d'abandonner pour lui. Il y avait trop de choses à prendre en compte, à digérer. Elle ne mesurait pas l'inquiétude de ses amies qui la voyaient si stressée. Gabriel non plus ne remarquait pas son anxiété. Tout ce qui comptait pour lui, c'était de ramener en France à tout prix cette femme dont il était amoureux.

Elle était exténuée en rentrant à la maison ce soir-là, après s'être disputée pendant une heure avec Gabriel qui voulait qu'elle reste.

La maison était silencieuse. Tout le monde dormait, et ce fut un soulagement de n'avoir à parler à personne. Elle trouvait enfin un peu de calme.

Le lendemain, ils visionnèrent des films de prévention sismique, puis un représentant des pompiers leur expliqua la formation des NERT (les Neighborhood Emergency Response Teams), des équipes de volontaires entraînés pour réagir dans leurs quartiers. Ils suivaient les ordres du DEM pour gérer les catastrophes, organiser les opérations de sauvetage, le tri des victimes et leur transport jusqu'aux unités de soin.

Cette pause dans les visites fut appréciée, d'autant plus que la réception à l'hôtel de ville avait lieu à 19 heures ce soir-là. Stephanie espérait rentrer à 17 heures pour se préparer.

— Comment comptes-tu y aller ? demanda Bill à Wendy alors qu'ils quittaient le centre opérationnel de crise.

— J'ai dit à Marie-Laure que je me préparerais avec elle dans sa chambre d'hôtel et qu'on irait ensemble, pour m'éviter de rentrer à Palo Alto. Je crois que Paul nous retrouve directement là-bas. Il a un rencart avec une femme rencontrée hier soir.

Paul était devenu l'adorable dragueur de la bande et se comportait comme un ado. C'était le rôle qu'avait joué Tom pendant vingt ans, avant de l'abandonner pour des ambitions sentimentales plus matures. Mais, à 34 ans, Paul avait encore un long chemin à parcourir et il avait bien le droit de s'amuser un peu.

— Je peux passer vous prendre à l'hôtel, dit Bill.

Il fit la même proposition à Gabriel, puisque Stephanie devait venir avec Andy. Bill voyait bien que cela contrariait le Français. Les deux amants s'étaient disputés tout l'après-midi, et Stephanie avait répété son impuissance. Son mari avait vu l'invitation et avait décidé de venir ; puisque pour le moment ils étaient encore mariés, elle ne pouvait pas l'en empêcher. Gabriel lui avait dit que sa présence lui gâcherait la soirée – une lourde responsabilité pour Stephanie.

Bill passa les chercher à l'hôtel à 18 h 45. Gabriel et lui étaient en smoking, tandis que Wendy et Marie-Laure portaient toutes les deux une robe noire courte qui révélait leurs formes magnifiques.

Sur le trajet, Bill voyait la ville sous un autre jour maintenant qu'il avait visionné les films de prévention sismique. On aurait dit de la science-fiction, pourtant tout y était vrai. Certains étaient des simulations, mais d'autres étaient de véritables enregistrements de séismes ayant eu lieu ailleurs dans le monde.

— Je m'attends presque à ce que le sol s'écroule sous nos pieds ce soir, dit-il, faisant rire tout le monde.

— Je n'aimerais pas être ici en cas de tremblement de terre, reconnut Marie-Laure.

Le regard perdu de l'autre côté de la vitre, Gabriel broyait du noir, anticipant l'arrivée de Stephanie au bras d'Andy.

Bill laissa ses clés au voiturier, et ils entrèrent dans la rotonde de l'hôtel de ville. Trois cents personnes étaient attendues à la réception, des personnalités politiques, des membres du gouvernement local, des médecins urgentistes et, évidemment, le maire.

— Tu es prête ? demanda Andy à Stephanie en entrant dans la chambre.

Il attendait déjà depuis une demi-heure en smoking noir, chemise blanche et cravate bleu marine. Ses cheveux étaient peignés, il était rasé de près, et même ses chaussures avaient été cirées. Elle resta ébahie un instant. Elle avait oublié à quel point il était beau, ou pouvait l'être, quand il faisait un effort, car il ne s'était pas si bien habillé depuis des années. Il passait son temps en jean, sweatshirt et tee-shirt, baskets aux pieds, et avec une éternelle barbe de quelques jours. Mais pas ce soir. Il était irrésistible, semblable à l'homme qu'elle avait épousé, semblable à lui-même quand il avait encore un travail.

Elle avait essayé trois robes, sans en aimer aucune. Ses cheveux étaient tirés en une longue queue-de-cheval basse, et son visage maquillé. Elle portait une robe en soie blanche avec un col bateau bordé de satin et un décolleté plongeant dans le dos. Le résultat, à la fois sexy et élégant, était sublimé par des talons hauts dont elle savait qu'ils la feraient souffrir le martyre avant la fin de la soirée. Mais les chaussures étaient si belles qu'elles le valaient bien. Elle voulait en mettre plein les yeux à Gabriel en faisant son entrée. Elle aperçut son reflet dans le miroir. Andy et elle formaient un couple éblouissant.

— On est beaux, remarqua-t-elle avec un sourire.

Il se contenta de hocher la tête. Il ne souriait quasiment plus ces derniers temps. Elle ne lui avait rien dit, mais il sentait venir la rupture. Leur mariage volait en éclats et ils ne s'adressaient plus la parole, divorcer semblait inévitable. Pourtant, il voulait être présent pour elle ce soir-là. Il faisait cet effort pour elle, se fichant complètement de ses amis français. La femme de ménage avait accepté de rester tard pour garder les enfants, et ils prirent la voiture à 18 h 50. Ils n'auraient que cinq minutes de retard. Sur sa robe blanche, Stephanie avait enfilé la veste en fourrure noire héritée de sa mère.

Le trajet se fit dans le silence. Stephanie pensait à Gabriel. Elle entendit son téléphone sonner et jeta un coup d'œil à l'écran.

Tu es où ?

J'arrive.

— Tu reçois beaucoup de messages, ces derniers temps, commenta Andy.

— Une des Françaises voulait savoir où j'en étais, répondit-elle, sur la défensive.

Encore un mensonge. Elle se dégoûtait.

Andy ne savait pas à quoi s'attendre en arrivant. Elle ne lui avait donné aucun détail – faute d'en avoir beaucoup. Les équipes française et américaine devaient recevoir les honneurs de la ville, ce qui consistait, supposait-elle, en un discours et une coupe de champagne.

Ils entrèrent dans l'hôtel de ville ensemble, passèrent les portiques de sécurité et firent rayer leurs noms sur la liste des invités pour accéder à la rotonde. Marie-Laure donna un discret coup de coude à Valérie en les apercevant. Andy et Stephanie avaient l'air d'un couple de stars hollywoodiennes.

— On dirait un dieu grec, chuchota Marie-Laure. Pourquoi est-ce qu'elle voudrait renoncer à ça ?

Gabriel ne lui arrivait pas à la cheville. Andy était un véritable mannequin qui faisait tourner toutes les têtes sur son passage. Il dégageait un charisme viril et sensuel, bien qu'un brin paternel parfois. Une photographe leur demanda de prendre la pose. Stephanie n'avait pas repéré Gabriel dans la foule, mais lui les avait vus. Valérie jeta un coup d'œil dans sa direction, il était pâle comme un linge. Andy lui volait la vedette, l'empêchant de frimer au bras de Stephanie toute la soirée. Son jeune et séduisant mari occupait le devant de la scène.

Marie-Laure et Valérie se dirigèrent vers le couple, Bill et Tom sur leurs talons. Stephanie leur présenta

Andy. Il resta froid, distant et peu amical. De toute évidence mal à l'aise, il n'engagea pas la conversation. Il n'avait pas l'air de nature sociable, ce qui expliquait l'attirance de Stephanie pour Gabriel. Ce dernier débordait d'émotion, de conviction et de sensualité à la française. Il compensait par sa personnalité charismatique les atouts physiques qui lui faisaient défaut. C'était un bel homme, mais qui n'avait rien de la puissante musculature d'un homme athlétique comme Andy, qui fréquentait quotidiennement la salle de sport.

— Il n'a rien d'autre à faire qu'entretenir son physique, rappela Marie-Laure à Valérie. Il ne travaille pas.

— Tu oublies quand même que c'est lui qui s'occupe des enfants.

Valérie se sentait obligée de prendre sa défense, même sans le connaître. Elle avait beaucoup de peine pour lui, qui semblait si malheureux d'être là, et qui était le seul à ignorer l'infidélité de sa femme.

Wendy et Gabriel les rejoignirent, et tous se raidirent un instant. Stephanie tenta de rester calme en faisant les présentations, mais elle avait les mains moites et fit son possible pour ne pas croiser le regard de Gabriel. Il tendit la main à Andy d'un air austère, presque réprobateur, comme pour marquer son territoire, alors que Stephanie constatait la tension, impuissante. Un frisson électrique passa entre les deux hommes quand ils se serrèrent la main, les yeux dans les yeux. Andy sembla gagner en ampleur et Gabriel en force. Wendy feignit de chercher Paul pour disparaître dans la foule. Stephanie était au bord de l'évanouissement. Pas un mot ne fut échangé entre les deux hommes. Un assistant du maire vint les trouver pour leur demander de le suivre jusqu'au podium au centre de la rotonde, sur lequel ils devaient tous les huit prendre la pose avant que le maire ne commence son discours. Stephanie dit à Andy qu'elle le retrouverait dès que ce serait fini, et elle fendit la foule en essayant de reprendre son souffle. Son cœur battait dans ses tempes et elle était livide.

— Ça va ? lui chuchota Valérie.

Celle-ci ne pouvait qu'imaginer le stress auquel son amie était soumise en présence des deux hommes, dont les instincts de survie s'étaient affolés en se retrouvant face à face.

— Je crois que je vais vomir, dit-elle en s'agrippant à la main de Valérie.

— N'y pense même pas. Fais comme si de rien n'était, sinon ton mari va comprendre. Ton mari ne le sait pas encore, mais il l'a senti. Gabriel arrive à peine à se contenir.

Aucun détail n'échappait à Valérie. Pour alléger l'atmosphère, elle ajouta, sur le ton de la plaisanterie :

— Tu es une sacrée femme, pour provoquer ce genre d'émotions chez deux hommes si séduisants. Ton mari est canon, d'ailleurs. Dommage que ce ne soit pas toujours suffisant.

Il était beau, certes, mais Valérie le trouvait trop ennuyeux pour elle. En tout cas pas son genre. Elle estimait aussi que Stephanie était trop intelligente pour un homme si amer, tourmenté et sans ambition.

— Marie-Laure a failli tomber en pâmoison en le voyant. Elle pense que tu paries sur le mauvais cheval. Mais la beauté ne fait pas tout.

Son babillage avait permis à Stephanie de se détendre un peu, et son visage reprenait des couleurs. Pendant un instant, elle avait cru que les deux hommes allaient en venir aux mains en plein milieu de la rotonde.

Ils atteignirent le podium sur lequel l'assistant les aligna. Stephanie était tétanisée. Tout le groupe attendit en silence que le maire commence son discours. Il présenta chaque membre de l'équipe, décrivit l'objectif et les intérêts du programme d'échange pour les deux villes, et les complimenta sur leur courage pendant la fusillade à Paris. Puis il remit à chacun un prix honorifique, un rouleau de parchemin attaché par un ruban doré. Ils le remercièrent et posèrent avec lui pour les photos, avant qu'un orchestre se mette à jouer et que les amuse-bouche et les flûtes de champagne commencent à circuler sur des plateaux d'argent. C'était une très belle réception, et l'équipe française en fut très touchée. Le maire s'empressa de quitter la rotonde pour rejoindre son second événement de la soirée.

En descendant de l'estrade, Gabriel chuchota à l'oreille de Stephanie :

— Reste avec moi ce soir. J'ai besoin de toi.

— Moi aussi, j'ai besoin de toi, mais c'est impossible. Il sent que quelque chose se trame. Ça va virer au cauchemar si on ne fait pas attention. Pas ce soir.

Il la regarda avec intensité, puis tourna les talons et quitta la salle, furieux. Elle ne pouvait rien y faire. Au moins, il n'avait pas cherché la confrontation avec Andy. Quelques minutes plus tard, Paul vint les trouver pour leur annoncer que Gabriel était rentré à l'hôtel avec une migraine. Pour une fois, il ne lui envoya pas de message. Elle partit retrouver Andy et tenta de l'inclure au groupe, mais il avait croisé une connaissance avec qui il était déjà en pleine discussion. Avec un seul prétendant dans la pièce, Stephanie se détendit, même si elle aurait préféré la compagnie de Gabriel.

— Eh bien, voilà qui était intéressant, dit Bill à Wendy. Pendant une seconde, j'ai cru que Gabriel allait le frapper. Ou vice versa. Ça ne donne pas envie de coucher avec la femme d'un autre. Personnellement, je n'aurais pas le cran, il faudrait me mettre sous Xanax H24. C'était tendu.

Elle s'esclaffa.

— Oui, c'est le moins qu'on puisse dire.

— Très jolie robe, au fait.

C'était une mini robe moulante, mais pas vulgaire, qui flattait sa silhouette magnifique.

— Je l'ai achetée pour l'occasion.

— Le maire a bien de la chance.

Elle rit.

— Comment vont tes filles ?

— Elles demandent de tes nouvelles tous les jours. Elles veulent retourner à Disneyland, et j'avoue que moi aussi. C'était sympa. Et tu as été très patiente avec elles.

— Mais non, je me suis beaucoup amusée aussi.

Ils restèrent encore une heure, puis quelqu'un suggéra d'aller dîner au restaurant. Andy déclara qu'il rentrait.

— Je viens avec toi, dit Stephanie.

— Tu ne préfères pas passer la soirée avec tes amis ? demanda-t-il, surpris.

— Ils survivront sans moi. Je veux rentrer avec toi.

Elle avait l'impression de lui être redevable de l'effort qu'il avait fait pour l'accompagner.

Ils partirent quelques minutes plus tard, en silence. Les garçons dormaient déjà, et ils libérèrent la femme de ménage. Andy ôta son manteau, le déposa sur le canapé et dévisagea Stephanie.

— Est-ce qu'il y a quelque chose entre toi et ce type, celui qui m'a serré la main ? Gabriel je crois, ou un truc du genre.

Il la regarda droit dans les yeux et elle secoua la tête.

— Non, rien du tout. On est tous bons amis.

Il hocha la tête et ne l'interrogea pas davantage. Elle comprit qu'il ne la croyait pas mais qu'il avait l'élégance de ne pas insister.

— Pendant une seconde, j'ai cru qu'il allait me mettre une droite, dit-il sans cesser de la fixer. La seule chose qui provoque ce genre de pulsion chez un type comme lui, c'est la volonté de marquer son territoire sur la femme d'un autre. Peut-être qu'il est amoureux de toi.

Andy se dirigea vers l'escalier.

— Tu étais très belle ce soir. J'aime bien ta robe.

Il ne fit pas un geste vers elle, ne lui dit pas qu'il l'aimait. Il n'était même plus certain de ses propres sentiments. En revanche, il savait qu'elle ne l'aimait plus. C'était fini. Leur mariage était mort, il ne restait plus qu'à l'enterrer. Il se demanda si le Français le pressentait aussi et voulait se montrer prêt à prendre le relais. C'était en tout cas l'impression qu'Andy avait eue.

17

Après la cérémonie guindée à l'hôtel de ville et la rencontre des plus tendues entre Andy et Gabriel, la visite du centre médical Alta Bates Summit apporta une reposante bouffée de légèreté. Tom chanta les louanges de l'établissement, vanta ses résultats exceptionnels en chirurgie cardiaque, en obstétrique et dans l'unité néonatale des soins intensifs, ainsi que les locaux exceptionnels du service des urgences. De toute évidence, il adorait travailler ici, et tout le personnel s'arrêtait pour le saluer. Tom présenta l'équipe à ses collègues, dans une atmosphère des plus plaisantes. Les urgences étaient les plus belles de la ville. Valérie le regarda évoluer dans son environnement, avec admiration.

Ils déjeunèrent à la cafétéria, Tom leur ayant assuré que les plats y étaient délicieux, et ce dernier y fut accueilli avec autant d'enthousiasme que partout ailleurs dans l'établissement. Il les conduisit ensuite dans la salle de repos des médecins et leur dévoila les recoins les plus confidentiels. Ils avaient l'impression d'être invités chez lui.

L'hôpital SF General était un établissement austère et imposant, et la sévérité des cas qui y étaient traités était pour Bill un défi stimulant. La clinique de Stephanie était extraordinaire de modernité et en faisait sa fierté. Quant à Tom, il s'enorgueillissait de la médecine de pointe pratiquée à son centre médical d'Oakland. La qualité des soins et l'ambiance chaleureuse lui permettaient de s'épanouir et de construire une relation de confiance avec les patients et le personnel. Ils avaient chacun trouvé le parfait hôpital pour exercer leurs talents respectifs.

Leur visite de la clinique de l'université Stanford avec Wendy le vendredi fut tout aussi impeccable. L'établissement proposait un impressionnant programme de prise en charge en réanimation et traumatologie pour adultes et enfants. Son service de traumatologie était l'un des meilleurs de San Francisco depuis trente ans. Wendy était la plus modeste du groupe, mais ses diplômes et son expérience parlèrent pour elle dès l'instant où elle franchit les portes de la clinique. Dans son environnement, on voyait tout son talent resplendir. L'administrateur qui les rejoignit leur dit qu'elle était une médecin précieuse pour l'équipe et qu'elle finirait sans doute bientôt cheffe de service. Elle sembla gênée en l'entendant, mais ses compétences pour le poste ne faisaient aucun doute. Elle les captiva tous en leur expliquant le fonctionnement du service de traumatologie. Elle donnait régulièrement des conférences à la prestigieuse école de médecine de Stanford – ce qu'elle n'avait jamais mentionné. Ils la remercièrent chaleureusement de cette visite.

Il était difficile de dire lequel de ces quatre établissements était le plus impressionnant. Ceux qui formaient également les futurs médecins offraient certes un éventail de soins plus complet, mais chacun avait sa personnalité propre et une spécialité qui le distinguait.

Bill, qui avait été interne à Stanford, fut ravi de pouvoir en discuter avec Wendy à l'issue de la visite. Il comprenait pourquoi elle aimait travailler ici, même s'il n'avait pas pu refuser le poste qu'on lui avait proposé à l'hôpital SF General. Wendy était tout à fait le genre de médecin à la hauteur de cet établissement d'excellence. De même que Jeff. C'était les compétences en chirurgie cardiaque de ce dernier qui avaient d'abord séduit la jeune femme, le reste n'était venu que bien plus tard. Elle adorait son métier et son hôpital, et ça se voyait.

Elle les invita tous à prendre un verre chez elle après la visite. Autour de la piscine, ils savourèrent avec joie un premier verre de vin, puis un deuxième – ils pouvaient s'offrir ce luxe puisque le chauffeur du minibus prendrait le volant pour les reconduire à l'hôtel. Valérie et Tom partageaient une chaise longue, et Gabriel était assis un peu à l'écart du groupe. Il broyait du noir depuis qu'il avait rencontré Andy et que Stephanie avait refusé de passer la nuit avec lui. Il se disait humilié. Elle s'était répandue en excuses, lui répétant que, si elle avait disparu ce soir-là, Andy aurait découvert la liaison, mais Gabriel estimait qu'il était temps que son mari soit mis au courant. Il finit par se détendre près de la piscine et passa son bras autour des épaules de Stephanie pour l'embrasser. Ils venaient de vivre une semaine très chargée, en travail comme en émotions, et elle avait promis de passer la nuit du samedi avec lui à l'hôtel. Elle ferait croire à Andy qu'elle devait remplacer un confrère malade à la clinique. Vendredi soir, elle avait une soirée entre filles, et les quatre garçons sortaient aussi de leur côté – ce qui laissait présager une sacrée gueule de bois au réveil.

Les quatre consœurs avaient une réservation chez Perbacco, un restaurant italien dans le centre-ville de San Francisco.

— Ta maison est magnifique, Wendy, dit Bill alors qu'ils s'installaient côte à côte pour profiter du soleil.

La décoration alliait des couleurs douces, des beiges chauds et des pastels qui lui correspondaient bien, et les murs étaient ornés de tableaux choisis avec goût.

— Ça me donne de l'inspiration, continua-t-il. Mon appartement ressemble à un bunker. On dirait que personne n'y habite. Mais la vue est jolie.

La description fit sourire Wendy. Elle comprenait que, vu l'hôpital où il travaillait et ses horaires, il ne passait que peu de temps chez lui.

— Il faut que je fasse quelque chose pour la chambre des filles avant l'été. Alex voulait que tout soit violet, mais on a trouvé un compromis et j'ai accepté de la peindre en rose.

Ils échangèrent un sourire ému en pensant aux fillettes.

— Tu pourrais m'aider à choisir le bon rose ? Je ne suis vraiment pas doué avec les couleurs. Ou la déco.

Il aurait voulu inviter tout le monde à dîner chez lui, mais il n'avait pas assez de chaises ni de couverts pour les recevoir. Il n'avait même pas assez de verres.

— J'avais une jolie maison victorienne quand j'étais marié. Mais je l'ai vendue après mon divorce, et elle ne m'a jamais manqué. Puisqu'Athena et les filles étaient parties, je me fichais de savoir où je vivais.

Il admirait le fait que Wendy se soit construit un vrai foyer à elle, qui ait une âme.

— Je ne dirais pas non à un coup de main pour l'organisation du barbecue dimanche, dit-elle timidement. J'ai un peu peur de l'allumer toute seule.

— C'est dans mes cordes ! Côtes de bœuf, poulet, steaks... Je viendrai dans l'après-midi, si tu veux.

— Oui, merci.

Ils échangèrent un regard un peu plus intime. Il avait envie de se rapprocher d'elle depuis qu'elle avait rompu avec Jeff, mais il ne voulait pas l'effrayer en précipitant les choses.

— On pourrait aller dîner quelque part un de ces soirs, suggéra-t-il.

Elle approuva.

De loin, Valérie les regardait en souriant. Depuis Paris, elle espérait que l'étincelle prendrait entre eux, tant elle les trouvait parfaits l'un pour l'autre.

Au moment de partir, Gabriel s'était enfin remis de ses deux jours passés à bouder et avait pardonné à Stephanie d'être venue à la réception avec son mari.

Tom et Valérie en discutèrent dans l'intimité de leur voiture. Cette dernière s'inquiétait au sujet de Stephanie. Gabriel faisait peser trop de pression sur elle, qui n'avait déjà pas un quotidien facile avec deux enfants en bas âge et un divorce dans l'air.

— Elle a tant de choses sur les épaules.

Tom acquiesça.

Alors qu'ils se dirigeaient vers Oakland, Valérie lui annonça un projet qui le fit tiquer :

— Au fait, je déjeune lundi avec un vieil ami qui vit dans la région.

— Un ex ? demanda Tom, soudain inquiet.

— Pas vraiment.

— Comment ça, « pas vraiment » ? C'est un ex, mais il était nul au lit ?

— Ne dis pas de bêtises. C'est juste un ami, répondit-elle de façon vague, sans fournir plus d'informations.

Comme pour se rassurer et la reconquérir, il lui fit l'amour dès qu'ils rentrèrent à l'appartement, avant de ressortir pour dîner. Elle voyait bien qu'il était soucieux, mais elle aimait le défier de temps en temps, pour qu'il ne se repose pas sur ses lauriers. C'était bon pour lui. Un homme comme Tom ne devait jamais la considérer comme acquise, sans quoi il était voué à se lasser, même si Valérie était loin d'être ennuyeuse.

Tom songeait toujours à ce « vieil ami » dans le taxi qui le conduisait au bar le Big 4, après avoir déposé Valérie au Perbacco.

La soirée fut bonne. Les quatre femmes parlèrent de leur semaine. Wendy leur proposa d'aller faire les boutiques au centre commercial de Palo Alto. Valérie leur annonça qu'elle prévoyait un week-end romantique à l'Auberge du Soleil dans la vallée de Napa, et que Tom viendrait passer ses vacances en France en juillet. Après un second verre de vin, Marie-Laure admit que Bruno l'avait appelée deux fois dans la semaine et qu'ils devaient dîner ensemble à son retour.

— Et Bill ? demanda Marie-Laure à Wendy.

— On est juste amis, déclara-t-elle d'un ton assuré. Mais j'ai passé un très bon moment avec lui et ses filles à Disneyland. Elles sont adorables.

— Attends un peu et tu verras, prédit Valérie. Il avait l'air très intéressé cet après-midi, au bord de la piscine.

— Je t'assure qu'il ne l'est pas. Vraiment.

— Moi, je te dis que l'amour t'attend au tournant, dit Valérie en faisant mine de lire dans les feuilles de thé.

Elles s'esclaffèrent. C'était une soirée très détendue. Elles allèrent prendre un verre au Fairmont après le repas et se séparèrent à minuit. Stephanie envoya un message à Gabriel pour savoir s'il était à l'hôtel, mais il n'était pas encore revenu. Elle rentra donc directement chez elle. Elle devait passer la nuit avec lui le lendemain, puis elle le verrait au barbecue chez Wendy. Ils avaient réservé le week-end suivant dans la vallée de Napa, au même hôtel que Valérie et Tom. Marie-Laure envisageait d'aller skier au lac Tahoe avec Paul, s'il n'avait pas de rencard. Elle avait été championne de ski pendant ses études et voulait tester les pistes californiennes, mais pas seule. Wendy ne se risquait plus aux sports d'hiver depuis une blessure au genou deux ans auparavant.

La soirée avait été parfaite du côté des femmes, mais pas aussi sage du côté des hommes. Ils firent la fermeture du bar dans une salle de billard de South of Market vers 2 heures du matin, et le gérant les laissa jouer jusqu'à 3 heures. Ils rentrèrent à 3 h 30, et Tom se réveilla le lendemain avec une violente migraine. Il poussa un grognement en se levant.

— C'est atroce, j'agonise, geignit-il.

Valérie lui concocta un cocktail détonnant à base de Jägermeister et d'un œuf cru, et il se sentit tout de suite mieux.

— Où est-ce que tu as appris ça ?

— En fac de médecine, répondit-elle avec malice.

— Ça doit être une spécificité française, on ne nous enseigne pas ça en cours ici.

Ils passèrent la journée à traîner à l'appartement, puis terminèrent la soirée devant un film. Se sentant bien mieux, il lui demanda de nouveau qui était cet ami avec qui elle déjeunait le lundi, mais elle refusa de répondre. Il commençait sérieusement à s'inquiéter. Valérie était le genre de femme qu'aucun homme ne possède vraiment, et il aimait cette indépendance. Mais l'idée qu'elle aille déjeuner avec un autre ne lui plaisait pas – Valérie avait visé juste.

Stephanie quitta la maison le samedi après-midi, pendant qu'Andy était au parc avec les garçons. Elle arriva à l'hôtel de Gabriel à 16 heures, et ils ne sortirent plus de la chambre avant midi le lendemain, Stephanie devant rejoindre Andy pour déjeuner en famille. Elle repartit à 18 heures, prétextant un dîner professionnel afin de prendre de l'avance sur la semaine. Quand elle les laissa, ils regardaient un film, et Ryan s'était endormi devant la télévision.

Elle récupéra Gabriel à l'hôtel, et ils firent la route ensemble dans une ambiance joyeuse jusqu'à Palo Alto. Ils avaient passé une nuit incroyable la veille. La seule chose qu'elle regrettait était de ne pas avoir eu plus de temps avec ses enfants. Mais leur père les avait bien occupés.

Elle reçut un message d'Andy dès leur arrivée chez Wendy. Ryan s'était réveillé avec de la fièvre et venait de vomir. Andy ne trouvait pas le thermomètre. Elle lui indiqua où elle l'avait rangé et, cinq minutes plus tard, reçut un nouveau SMS.

39. Je fais quoi ?

Paracétamol.

Elle lui indiqua la posologie pour les enfants.

— Il y a un problème ? lui demanda Gabriel en remarquant son air concentré alors qu'elle pianotait sur son écran.

— Ryan a de la fièvre. Ça lui arrive souvent. Mais maintenant Aden va y avoir droit aussi.

La contagion était inévitable dans une fratrie.

Bill s'affairait sur le barbecue depuis leur arrivée. Il avait organisé les pièces de viande sur plusieurs plateaux, formant un duo efficace avec Wendy. Le couvert était dressé dans sa grande cuisine digne d'une maison de campagne, et ils s'installèrent autour de la piscine avant de dîner, jusqu'à ce que l'air se rafraîchisse. Les Français mesuraient leur chance de profiter des rayons du soleil en février, alors qu'il gelait à Paris.

— Je veux vivre ici, déclara Paul.

— Comme nous tous, dit Valérie.

Tom se pencha pour l'embrasser et lui dit :

— Tu déménages ici quand tu veux.

Elle lui adressa un grand sourire malicieux.

Stephanie appela Andy juste avant de passer à table. Ryan semblait aller mieux, la fièvre était un peu tombée, et il dormait de nouveau. Soulagée, elle prit place à table. La conversation s'anima lorsqu'ils entreprirent de comparer leurs expériences universitaires et les blagues potaches qui allaient avec. Tom avait des histoires scandaleuses à raconter, et Valérie n'était pas en reste. Les talents de Bill au barbecue étaient incontestables. Le dîner était excellent, et Wendy le remercia d'avoir cuisiné.

— J'adore ça, et je n'avais pas eu l'occasion de le faire depuis des années.

Il avait vendu le barbecue avec sa maison.

Tout le monde était détendu et heureux. Ils formaient un groupe soudé. Ils se dirigèrent vers le centre-ville de San Francisco à 22 h 30, et Bill s'attarda pour aider Wendy à ranger. Ils avaient passé une soirée de détente merveilleuse pour clore en beauté cette première semaine. La suivante prévoyait un exercice de simulation d'intervention en cas de séisme, ce qui semblait excitant. C'était une toute nouvelle expérience pour les Français.

Stephanie déposa Gabriel à l'hôtel et remonta dans la chambre avec lui, mais le prévint qu'elle ne pouvait pas rester longtemps. Avec Ryan malade, elle préférait rentrer à la maison. Ils firent l'amour et se prélassèrent au lit pour profiter de la compagnie de l'autre. En tant que couple, ils avaient du chemin à parcourir, mais elle se sentait toujours sereine et en sécurité quand elle était avec lui. Elle ne doutait pas qu'il divorcerait et qu'ils trouveraient un moyen d'être heureux ensemble.

Son téléphone signala l'arrivée d'un SMS mais, assoupie dans les bras de Gabriel, elle n'eut pas envie de bouger. Elle finit par se sentir coupable et se leva pour sortir le téléphone de son sac. C'était Andy.

Convulsions. 40,4. On va aux urgences de Mission Bay. RDV là-bas. J'ai confié Aden aux Sanchez.

La lecture du message lui fit l'effet d'un seau d'eau glacé. Ryan était sujet aux convulsions hyperthermiques depuis tout petit. Les crises ne l'exposaient pas à un grave danger, mais elles étaient très effrayantes, comme l'était une température au-dessus de 40 degrés. Elle enfila ses vêtements à la hâte, sans prendre le temps de passer sous la douche. Elle appela Andy mais il ne répondit pas, ce qui la fit paniquer.

— Qu'est-ce qui se passe ?

Elle expliqua la situation à Gabriel à toute allure.

— Je viens avec toi.

Il entreprit de s'habiller aussi. C'était la bonne réaction, mais pas dans cette situation.

— Impossible. Comment justifierait-on ta présence ?

Elle était bien plus près de la clinique qu'Andy et y serait peut-être avant lui. Gabriel s'assombrit.

— Je ne veux pas te laisser y aller seule, protesta-t-il, encore torse nu.

— Je n'ai pas le choix.

Elle se précipita dans la salle de bains pour se passer un peu d'eau sur le visage. Elle avait une tête de saut du lit. En deux minutes, elle se redonna une apparence soignée, enfila ses chaussures, récupéra son manteau sur le fauteuil et embrassa Gabriel.

— Je suis désolé. Appelle-moi quand tu l'auras vu. Je suis sûr qu'il va bien. Mon petit dernier faisait aussi des convulsions. Et dis-moi si tu veux que je vienne.

C'était impossible. Il n'avait pas sa place auprès d'Andy, pas tant que la situation de chacun ne serait pas éclaircie.

Elle partit quelques secondes plus tard, courut à l'ascenseur, récupéra sa voiture auprès du voiturier et se dirigea vers la clinique de l'université de Californie. Elle essaya de rappeler Andy, mais il ne décrocha pas. Elle se gara à sa place habituelle sur le parking du personnel soignant et attendit aux urgences l'arrivée d'Andy. Il débarqua, portant un Ryan écarlate et inerte. Elle posa la main sur son front. Il était brûlant.

— T'étais où ? demanda Andy, désespéré, alors qu'ils attendaient qu'une infirmière les conduise dans une salle d'examen.

Stephanie avait déjà fait toutes les démarches d'enregistrement auprès de l'accueil.

— Au dîner avec le groupe. On était invités à Palo Alto chez la médecin de Stanford. Je viens de rentrer.

Elle ne quittait pas Ryan des yeux, et ce qu'elle voyait n'augurait rien de bon. Elle demanda à l'infirmière d'appeler le pédiatre de garde et, en la voyant, une autre infirmière qu'elle connaissait se dirigea droit vers elle.

— Qu'est-ce qui se passe ? demanda-t-elle en sortant un thermomètre de sa poche.

Andy l'aida à le glisser dans l'oreille de Ryan qui se mit à gigoter et à pleurer, en se plaignant d'avoir mal derrière la tête. Stephanie et l'infirmière échangèrent un regard, et cette dernière vérifia la température.

— 40,6. Je vais chercher le pédiatre.

Elle alla téléphoner et demanda à une collègue dans le même temps de leur attribuer une salle d'examen. Andy avait emmailloté l'enfant en pyjama dans une couverture, pourtant il claquait des dents.

— Il se sentait mal au réveil après ton départ, mais pas à ce point.

Andy était de toute évidence paniqué, et elle aussi. Les symptômes étaient alarmants, et elle espérait que le pédiatre allait la rassurer. Pour elle, ça ressemblait à une méningite. La maladie évoluait très vite chez les enfants de cet âge et pouvait s'avérer fatale. Elle refusait de croire que ça leur arrivait à eux. Quand le pédiatre entra et se dirigea droit vers Ryan, elle échangea un regard avec Andy. Le médecin essaya de pencher la tête de l'enfant vers son torse, et celui-ci hurla de douleur et vomit. L'infirmière aida aussitôt à le nettoyer avec un linge humide et à changer son pyjama malgré les frissons qui le secouaient. Stephanie avait déjà attaché le bracelet de l'hôpital à son poignet.

— Vous en arrivez sûrement au même diagnostic que moi, dit le pédiatre.

— Méningite ? dit-elle en redoutant le mot.

— Ça m'en a tout l'air. Je vais essayer de faire baisser la fièvre et je vais tout de suite demander une ponction lombaire et une prise de sang.

La grande question était de savoir si la maladie était bactérienne ou virale. Si elle était bactérienne, les risques étaient plus grands. L'infirmière se dépêcha d'appeler le labo pour les examens. Le pédiatre rassura

Stephanie et Andy : on mettrait Ryan sous anesthésie légère pour procéder à la ponction. Il était sûr de son diagnostic, et Stephanie aussi. L'infirmière du labo arriva et préleva plusieurs tubes de sang pendant qu'Andy maintenait l'enfant qui pleurait. Ils mirent en place une intraveineuse dans l'autre bras pour lui administrer des antibiotiques, entre autres. Son état empirait chaque minute.

— Quand est-ce que ça a commencé ? demanda le médecin à Stephanie.

Elle se tourna vers Andy.

— Peut-être vers 18 ou 19 heures, dit-il d'une voix rauque.

Tout allait si vite. Il était 1 h 15 du matin, cela faisait donc sept heures qu'il était malade. Stephanie savait qu'à cet âge les enfants pouvaient mourir entre six et douze heures après l'apparition des premiers symptômes. C'était une des maladies les plus fulgurantes et les plus mortelles chez l'enfant. Un contrela-montre était engagé, et les yeux de Stephanie se remplirent de larmes quand elle regarda Andy. On leur retira Ryan pendant cinq minutes pour procéder à la ponction lombaire, car le pédiatre refusait que Stephanie l'accompagne. Les parents n'étaient pas autorisés lors des interventions, même s'ils étaient médecins et qu'ils travaillaient ici.

— Il se réveillera de l'anesthésie dans quelques minutes. On vous le ramène dès que possible. Je veux son admission en soins intensifs pédiatriques.

— D'accord. On vous retrouve là-bas.

Elle serra fort la main d'Andy alors qu'on emmenait Ryan sur un brancard. Il était si minuscule. Si la méningite était avérée, la crainte suivante était qu'Aden la contracte aussi – c'était quasiment inévitable. Dans le pire des cas, ils pouvaient perdre leurs deux enfants en l'espace de quelques heures. Mais on pouvait penser, en étant rationnel, que le cas de Ryan était une terrible malchance et que la foudre frappait rarement deux fois au même endroit.

— Ça va bien se passer, pas vrai ? lui demanda Andy alors qu'ils se dirigeaient vers l'ascenseur pour rejoindre l'unité des soins intensifs.

— Je ne sais pas. Ça ne se présente pas bien.

Elle reçut un message de Gabriel qui voulait savoir ce qui se passait, mais elle ne répondit pas. C'était un moment qu'elle devait à Andy, et elle ne voulait pas être distraite par quelqu'un d'autre. Ils arpentèrent les couloirs en attendant Ryan, sans échanger un mot. Il n'y avait rien à dire.

— Qu'est-ce qu'on fait, Steph, si c'est une méningite ? demanda-t-il après avoir enfin rassemblé le courage de poser la question.

— Rien. On attend et on prie. Il est déjà sous traitement antibiotique. Ils vont le mettre sous stéroïdes après la ponction.

Ils le ramenèrent quarante minutes plus tard, encore sonné par l'anesthésie. On fit rouler le lit jusqu'à une chambre, pour le coucher. Une infirmière prit ses constantes, et une autre le brancha aux moniteurs. Il était encore brûlant, et elles essayèrent de faire baisser sa température avec des linges humides et une intraveineuse.

Le pédiatre revint pour confirmer ce que Stephanie savait déjà. Ryan avait une méningite. Elle était virale, ce qui lui donnait de meilleures chances de survie, mais rien n'était certain, surtout à cet âge. La fièvre et l'anesthésie l'avaient assommé. Stephanie s'assit sur son lit pour lui caresser les cheveux. L'idée qu'il puisse mourir lui était insupportable, et elle priait pour sa survie. Il était trop petit, trop malade et, quand elle leva les yeux, Andy pleurait aussi.

— Comment est-ce arrivé ? Il allait bien ce matin. Et maintenant il...

Les mots s'étouffèrent dans la gorge d'Andy.

— Ça peut aller très vite, surtout à son âge.

— Qu'est-ce qu'ils peuvent faire ?

— Pas grand-chose, reconnut-elle en essuyant les larmes sur ses joues.

Le pédiatre passa plusieurs fois dans l'heure qui suivit, et il fit venir un spécialiste des maladies infectieuses. Ce dernier leur expliqua que, même si la méningite virale était moins grave que la bactérienne, il risquait de mourir dans les heures à venir, et qu'il fallait se préparer à cette éventualité. Andy fondit en larmes, et Stephanie le prit dans ses bras. Ils ne quittèrent pas le chevet de Ryan pendant deux heures. Stephanie voulait être là s'il venait à mourir. Au cours de sa carrière, elle avait vu des patients rendre l'âme, mais cette fois il s'agissait de son bébé, son petit dernier. Le drame était inconcevable, et pourtant bien réel.

Ils passèrent la nuit à le veiller. À 8 heures, son état était encore critique. Ce furent les pires heures de toute la vie de Stephanie. Elle ressassait toutes ses erreurs, tout ce qu'elle aurait aimé faire différemment, tout le temps qu'elle n'avait pas passé avec sa famille parce qu'elle travaillait, tout son mariage qui avait si mal tourné pendant qu'Andy devenait amer et las.

À 10 heures, Ryan ouvrit les yeux et leur sourit. On aurait dit un ange. Elle pensait qu'il était en train de mourir, mais il soupira et se rendormit, sans cesser de respirer. À midi, il était encore en vie.

La fièvre tomba à 38,9, mais il n'était pas hors de danger. Elle envoya un message à Valérie pour lui expliquer ce qui se passait et où elle était, afin qu'elle informe les autres. Gabriel l'inondait de messages, mais elle n'avait pas le cœur à lui répondre. Et si c'était sa punition pour avoir trompé son mari ? Sa liaison lui semblait si insignifiante à présent. Elle aimait Gabriel au point de divorcer et de déménager en France. Mais quelle importance, si Ryan mourait ? Cette perspective remettait les choses en place.

Une infirmière leur suggéra d'aller se reposer un peu en salle d'attente. Il n'y avait personne pour le moment, et ils étaient restés debout toute la nuit. Ils ne voulaient pas le quitter, ne serait-ce qu'une minute, mais l'infirmière leur assura qu'elle viendrait tout de suite les chercher s'il y avait la moindre évolution. Au bout de dix-huit heures, Ryan était encore en vie, mais toujours pas tiré d'affaire.

Andy la regarda dans les yeux.

— Il faut que je te dise que quoi qu'il arrive, je t'aime, Steph. Je sais que c'est la merde entre nous, et c'est de ma faute. Je me suis perdu en cours de route, j'étais jaloux de ton succès. Tu es une femme brillante, Steph. Tu mérites tout ce que tu as gagné. Et quoi qu'il advienne entre nous, je vais chercher du boulot. On peut embaucher une nounou pour les enfants.

Ses yeux étaient remplis de larmes.

— J'ai été un mari abominable, à essayer de te freiner. Tu as le droit de tout avoir. Je ne comprends pas comment ça a pu tourner aussi mal entre nous. J'ignore ce qui s'est passé à Paris et je ne veux rien savoir. Si tu veux divorcer, OK, je déménagerai. Mais je ne veux pas te perdre. Je vous aime, toi et les garçons. Si tu nous donnes une seconde chance après ça, je m'améliorerai, je te le promets. Tu es une femme incroyable.

Sanglotant, elle le prit dans ses bras, et ils resserrèrent longtemps leur étreinte, tentant de faire face à la souffrance de leur enfant. Stephanie priait pour qu'Aden ne tombe pas malade à son tour. Heureusement, quand elle appela sa voisine, Mme Sanchez, pour prendre des nouvelles d'Aden, il allait très bien.

— Je n'ai pas été une épouse idéale non plus, avoua-t-elle en lui tenant la main. C'est difficile de tout concilier. Je veux être la meilleure médecin possible, mais ça fait de moi une mère indigne.

— Tu n'es pas une mauvaise mère. En grandissant, les garçons seront admiratifs de ce que tu accomplis tous les jours. Ce ne sont pas les premiers enfants à avoir des parents qui travaillent, et la plupart s'en sortent très bien.

Elle hocha la tête. C'était ce qu'elle avait espéré, mais cela s'avérait bien plus difficile qu'elle l'aurait cru. Quelqu'un était toujours lésé, que ce soit son mari ou ses enfants.

— Je crois que j'ai baissé les bras. J'étais tellement occupé à m'apitoyer sur mon sort et à nourrir ma rancune à ton égard. Tu veux qu'on se sépare, Steph ?

Cette grande question arrivait au pire moment. Mais en posant les yeux sur lui, elle sut que ce n'était pas ce qu'elle voulait. Si Ryan ne s'en sortait pas, ils auraient besoin l'un de l'autre. Dans tous les cas, ils devaient rester ensemble.

— Non, dit-elle d'une voix voilée par l'émotion.

Cette fois, elle était sincère.

— Alors on va faire en sorte que ça fonctionne. Je ne sais pas si c'est possible, mais je vais faire de mon mieux pour essayer. Pas pour les enfants, pour nous. Ils ont besoin de nous deux.

Il passa un bras autour des épaules de Stephanie et resta ainsi longtemps. Quand elle leva enfin la tête, elle vit Valérie et Tom devant la porte. Ils étaient venus prendre des nouvelles et s'installèrent discrètement à côté d'eux.

— Comment va-t-il ? demanda Tom.

— Mal, mais il est vivant.

Tom hocha la tête avec compassion. Ils avaient apporté de la soupe et des sandwichs et ne restèrent que peu de temps, pour ne pas s'imposer. Ils transmirent les mots de soutien des autres. Toutes les réunions de la journée avaient été annulées, et le groupe avait déjeuné ensemble. Valérie avait reporté son déjeuner mystère à plus tard. Gabriel était hors de lui face au silence de Stephanie, incapable de comprendre qu'elle ne pouvait pas lui répondre. Andy et elle avaient besoin de ce temps pour eux, indépendamment de leurs décisions futures.

En partant, Valérie n'était pas sûre de comprendre ce qu'elle avait vu entre eux. Elle en parla avec Tom. Lui avait le sentiment qu'ils s'étaient réconciliés, mais c'était difficile à dire en temps de crise.

Andy et Stephanie retournèrent au chevet de Ryan après le départ de Tom et Valérie. L'enfant se réveilla quelques fois, et la fièvre baissait lentement. Ce soir-là, sa température parvint à redescendre à 37,8 et, le lendemain matin, elle était revenue à la normale. Ils avaient fait ausculter Aden par leur pédiatre, et il n'avait rien. Ryan avait survécu aux trente-six heures qui s'étaient écoulées, ce qui était un vrai miracle, vu la gravité de son état. On était maintenant mardi.

Andy leva les yeux vers Stephanie alors que l'infirmière leur apportait un café dans la salle d'attente.

— Tu étais sérieuse, ou c'était juste la peur qui parlait ?

Il ne voulait pas la prendre en otage et savait qu'elle en aimait un autre. Il l'avait compris dès son retour de France.

— À propos de notre mariage, précisa-t-il.

311

— Je veux essayer. C'est tout ce qu'on peut faire. Donnons-nous encore une chance.

Elle lui sourit, et poursuivit :

— Je suis toujours la même, et tu es toi, avec tes bons, comme tes mauvais côtés. On s'est aimés, et on s'aime encore. Peut-être qu'on peut trouver un moyen de s'entendre de nouveau.

Il acquiesça. C'était ce sur quoi ils devaient travailler. Leur couple était loin de la perfection mais méritait une nouvelle chance avant de renoncer pour de bon.

Andy rentra à la maison ce soir-là et récupéra Aden chez les Sanchez. Il était en pleine forme et ne tomberait probablement pas malade maintenant. Stephanie avait promis de l'appeler s'il se passait quoi que ce soit, ou si l'état de Ryan empirait de nouveau. Il n'était pas complètement tiré d'affaire, même si la méningite était virale. Avec une bactérienne, il serait déjà mort. Elle s'endormit dans le fauteuil de la chambre d'hôpital ce soir-là, après lui avoir caressé les cheveux et l'avoir embrassé.

Andy la relaya dans la matinée, et elle rentra à la maison pour prendre une douche et se changer, puis elle appela Gabriel. Il était dans tous ses états. Les réunions avaient repris, et le groupe avait assisté à l'exercice de simulation d'intervention en cas de séisme.

— Oh mon Dieu ! Je me suis tellement inquiété pour toi. Comment va-t-il ?

— Il est très malade, mais je pense qu'il va guérir. Il a contracté une méningite virale.

— Je sais, Valérie nous a raconté. Elle a dit que tu me contacterais dès que possible. Merci d'avoir appelé, ma chérie.

Il semblait au bord des larmes.

— Il faut qu'on se voie, dit-elle doucement.

— Bien sûr. Rendez-vous à l'hôtel, j'arrive.

Mais ce n'était pas ce qu'elle voulait. Elle ne se faisait pas confiance. Elle l'aimait encore. Sauf qu'à présent elle savait qu'elle aimait aussi Andy. Il était trop tôt pour déserter le navire. Puisque Ryan avait survécu envers et contre tout, peut-être que leur couple pouvait se battre aussi. Et elle avait appris autre chose, aujourd'hui. Peu importe ce qu'il advenait avec Andy, elle ne pouvait pas renoncer à son poste à la clinique. Ni pour Andy, ni pour Gabriel, ni pour personne. Elle ne pouvait pas déménager en France, c'était un trop gros sacrifice. Elle voulait rester ici et continuer à faire ce qu'elle faisait déjà. Elle ne voulait pas tout recommencer ailleurs. Il fallait qu'elle reste.

— Allons plutôt nous promener. J'ai besoin de prendre l'air.

Elle le retrouva au Ferry Building, et ils marchèrent le long de l'Embarcadero pendant qu'elle lui annonçait l'inévitable. Il fallait qu'elle accorde une dernière chance à Andy, même au risque d'échouer. Elle ne pouvait pas quitter son travail et ne le voulait pas. Sa carrière était trop importante à ses yeux. Il pleura quand elle lui fit part de sa décision et déclara qu'elle lui brisait le cœur. Il jura qu'il aurait divorcé pour elle, et Stephanie ne put s'empêcher de se demander si c'était vrai. Dans les faits, il n'avait toujours pas contacté d'avocat avant d'arriver à San Francisco, et elle aurait pu finir comme Wendy, à attendre en vain qu'il quitte sa femme. Elle ne saurait jamais la part de sincérité dans ses intentions. Elle espérait qu'Andy et elle puissent recoller les morceaux. C'était possible, même si rien n'était jamais sûr dans la vie. Elle avait failli perdre son fils en trois jours et avait été sur le point de détruire son mariage. C'était comme si elle avait perdu la tête et qu'elle recouvrait seulement ses esprits. Peu importe ce qu'il adviendrait avec Andy, elle s'était retrouvée.

— Je n'y survivrai pas, déclara Gabriel. Je rentre à Paris ce soir.

— Non. On peut surmonter ça, en adultes. Je t'aime, et ça n'a pas changé. Seulement mes sentiments ne valent pas que je sacrifie toute ma vie pour toi. Et peut-être que tu ne m'aimes pas non plus assez pour ça. Reste jusqu'au bout et termine ce que tu es venu accomplir ici.

— Impossible, tu m'as brisé en mille morceaux.

Elle réprima un sourire devant son lyrisme exagéré. La mort évitée de Ryan rendait tout ridicule en comparaison.

— Essayons de faire les choses avec dignité.

Mais elle n'était pas sûre qu'il en ait tant que ça. Elle le quitta sur le remblai de l'Embarcadero et remonta jusqu'à sa voiture pour aller à la clinique. Elle appela Valérie sur le parking et lui demanda si elle pensait que Gabriel s'en remettrait.

— Mais oui, ne t'en fais pas. Il est juste mélodramatique. On va lui parler. Tu as raison. Il ferait mieux de rester. Ce sont des choses qui arrivent. Ton fils est à l'hôpital, et ça nous prouve que tout peut basculer d'une seconde à l'autre. D'ailleurs, je ne suis même pas certaine qu'il aurait vraiment divorcé. Il est trop habitué à son train de vie avec sa femme. On ne le saura jamais... mais je crois que tu as fait le bon choix.

— Moi aussi. Peu importe l'issue. Hors de question de renoncer à ma carrière pour un homme. Et personne ne devrait me le demander. Il n'a même pas proposé de déménager ici, alors que lui, il n'exerce plus la médecine maintenant qu'il est haut fonctionnaire.

— Très juste.

Valérie avait l'air heureuse pour elle, et soulagée que son fils ait survécu.

Ryan sourit quand Stephanie entra dans la pièce. Andy était avec lui.

— Notre petit bonhomme veut une glace, annonça Andy d'un ton gai.

— On peut s'arranger, dit-elle en allant voir l'infirmière pour lui demander d'appeler les cuisines.

Une coupe de glace à la vanille arriva quelques minutes plus tard.

— C'était rapide, commenta Andy.

Ryan attaqua aussitôt son encas. Il était encore tout pâle, mais le pire était passé et il allait survivre. Le pédiatre avait dit qu'il pourrait rentrer à la maison à la fin de la semaine. Andy resterait à la clinique pour

315

veiller sur lui, le temps que Stephanie en ait terminé avec les conférences. Elle ne voulait pas manquer la fin du programme d'échange, ce qu'Andy comprenait. L'aide-ménagère allait dormir à la maison pour s'occuper de Ryan.

Andy ne lui demanda pas ce qu'elle avait fait au sujet de Gabriel, mais il comprit qu'elle s'en était chargée. Elle semblait sereine, calme et de nouveau elle-même. Elle s'était égarée un moment. La fusillade, Paris, la distance avec sa famille, leur couple en péril... mais elle avait repris pied et retrouvé la terre ferme. Cela faisait du bien de renouer avec elle-même. Et de savoir que Ryan était sorti d'affaire.

18

Marie-Laure et Paul partirent passer un week-end entre amis à la station de sports d'hiver Squaw Valley. Ils étaient tous deux d'excellents skieurs et s'amusèrent sur les pistes toute la journée, avant que Paul ne sorte écumer les bars.

Valérie et Tom se rendirent dans la vallée de Napa. Il attendit qu'ils se soient installés sur le balcon de leur chambre d'hôtel face au paysage pour lui poser la question qui le tourmentait depuis une semaine.

— Alors, comment s'est passé ton déjeuner en tête à tête avec ton ex ?

Valérie était une femme indépendante qu'il ne pourrait jamais contrôler, d'ailleurs il ne s'y risquerait même pas. Mais il ne voulait pas la perdre non plus. Dans sa tête, il imaginait un amant français beau à se damner, qui réveillerait d'anciennes passions et causerait des étincelles.

— Désolée de te décevoir, il n'y a jamais rien eu de romantique entre nous. C'est juste un vieux copain de fac.

Elle lui adressa un sourire, et Tom eut envie de la secouer. Il s'était fait un sang d'encre depuis qu'elle lui en avait parlé.

— Je voulais juste garder ton désir en éveil.

— Mon désir et mon cœur sont tout à toi. Nul besoin de me torturer.

Il se demanda si elle disait la vérité et si elle s'était vraiment abaissée à user d'une telle ruse avec lui.

— Alors dans ce cas, pourquoi avoir déjeuné avec lui ?

Elle regarda à travers la vallée, puis se tourna vers lui.

— J'ai sondé le terrain avant de venir ici. Jean-Louis enseigne à l'école de médecine de Stanford. Il s'est marié aux États-Unis et il y vit. Je me suis souvenue d'une proposition qu'il m'avait faite il y a quelques années. À l'époque, je n'étais pas intéressée, mais je pourrais l'être maintenant. À vrai dire, ça dépend de toi. Il m'a offert un poste de professeure invitée, pour enseigner la psychiatrie. Je trouvais ça ennuyeux à côté de mes programmes d'intervention post-traumatique. Mais les cellules de soutien psychologique peuvent tourner sans moi à présent, tout est en place. Et le genre de crises auxquelles nous sommes confrontés est de plus en plus violent, et ça use. Le monde est plus brutal qu'avant. Je pense que donner des conférences pendant un an ou deux ne me ferait pas de mal, et j'en profiterais pour écrire un nouveau livre. Je lui ai demandé si son offre était toujours valable.

Tom, fasciné, retenait son souffle.

— Et alors ?

— Il m'a dit que oui, répondit-elle avec un sourire. J'ignorais ce que tu en penserais, alors je voulais lui poser la question d'abord. Je ne peux pas exercer la médecine aux États-Unis. Enfin, je pourrais, mais il faudrait que j'en passe par un long processus et ça ne m'intéresse pas. En revanche, je peux enseigner. Je commencerais en septembre... Si ça te convient aussi, bien sûr.

Elle avait gardé le silence sur son projet jusqu'à savoir s'il était rationnel, et pour lui annoncer pendant leur week-end romantique.

— Vous ne vous arrêtez donc jamais, docteur Florin ? Je pense que c'est une idée géniale. Je réfléchissais à des moyens de te faire venir ici, mais tu as été plus rapide que moi.

— Et ça me permettrait d'obtenir un permis de travail.

— Pour la nationalité, il faudra peut-être que tu m'épouses, en revanche, la taquina-t-il.

— Tu veux que je reste ? C'est aussi ta décision.

Il l'attira dans ses bras et la serra fort.

— À ton avis ?

— À mon avis, tu vas avoir besoin d'un appartement avec des placards plus grands.

— Je crois qu'on peut s'arranger.

Il n'avait jamais été si heureux de toute sa vie.

— Tu pourrais venir en France pour les vacances en juillet, comme prévu, et je reviendrais début août à San Francisco pour commencer à enseigner en septembre. Je peux donner mon préavis de démission à mon retour. Ça leur laissera trois mois pour me remplacer.

— Fais-le, mais uniquement si tu penses qu'enseigner te rendra heureuse.

Elle hocha la tête. L'idée lui plaisait, et elle était prête pour le changement. La violence des crimes auxquels elle était confrontée dans son travail était trop dure et inhumaine. Elle avait besoin d'une pause, et tout s'agençait à la perfection.

— Je t'aime, dit-il simplement avant de l'embrasser.

Ensemble, ils contemplèrent la vallée. Valérie était pleine de surprises. C'était la femme dont il avait toujours rêvé, dont il avait toujours eu besoin, sans jamais le savoir. Et voilà qu'il l'avait trouvée.

Quand Stephanie rejoignit le groupe après que Ryan fut sorti de la clinique, il ne leur restait plus que quinze jours ensemble. Une semaine complète s'était écoulée, mais elle lui avait fait l'effet d'un siècle. Andy l'avait encouragée à rejoindre l'équipe.

Les autres avaient convaincu Gabriel de rester, mais ce dernier arborait un air dévasté dès que Stephanie était dans les parages. Il ne lui adressait plus la parole et l'évitait autant que possible, ce qu'elle comprenait. C'était très gênant pour elle aussi, mais elle essayait de rester naturelle. Son humeur chagrine était légitime.

Les choses n'étaient pas parfaites avec Andy, mais elles étaient sur la bonne voie. La terreur d'avoir failli perdre Ryan les avait tous les deux sortis de leur torpeur pour leur montrer combien ils avaient négligé leur couple et ce qui comptait le plus pour eux. Andy allait chercher du travail, après avoir enfin compris que c'était ce dont il avait besoin pour reconstruire son estime de lui.

Valérie leur annonça qu'elle reviendrait à San Francisco en août pour enseigner à Stanford. Marie-Laure lui dit qu'elle allait lui manquer à Paris, mais elle était contente pour elle. Leur travail était devenu de plus en plus éprouvant ces dernières années, et les burnouts étaient nombreux. Elle savait que Valérie s'en approchait et que c'était le bon moment pour se remettre à écrire et enseigner.

Les deux semaines passèrent en un clin d'œil, et Wendy organisa un dîner chez elle, avec Bill aux commandes du barbecue. Personne n'en parla, mais tous avaient le sentiment que quelque chose avait changé entre eux. Ils étaient tous les deux très pudiques, mais leur manière de se parler n'était plus la même. Bill semblait très à l'aise chez Wendy, il connaissait bien les lieux, et elle l'aidait à décorer son appartement. Ils parlaient d'un voyage dans le Grand Canyon avec ses filles. Elle était heureuse d'apprendre que Valérie reviendrait, et elle lui avoua en privé que Bill et elle se fréquentaient en dehors du groupe.

— Dire que j'ai failli refuser ce programme... dit Wendy d'un air songeur. La vie est pleine de surprises. On pense que l'on avance sur une voie, et d'un coup tout bascule. C'est ce qui s'est passé pour nous tous. On a tous changé d'une manière ou d'une autre, depuis notre rencontre.

Elle le disait avec des étoiles dans les yeux.

Ils s'attardèrent chez elle, bavardant et riant, au fil des nombreuses bouteilles qui se vidaient, et promirent de se rendre visite dès que possible. Tom allait retrouver Valérie en France en juillet, et l'aiderait à déménager. Bill et Wendy comptaient retourner à Paris avec ses filles. Stephanie espérait y faire du tourisme dans un an ou deux avec sa famille.

Paul leur fit part de sa décision de rejoindre Médecins sans frontières. Son travail en Afrique lui manquait, et il était temps d'y retourner.

Gabriel cessa enfin de jouer au martyr, et Stephanie trouva un moment calme pour lui parler au bord de la piscine, pendant que les autres rentraient se mettre à table. Il ne lui avait pas adressé la parole depuis qu'elle avait rejoint le groupe, et elle ne voulait pas qu'ils se quittent en mauvais termes.

— Je suis désolée, Gabriel, sincèrement. Je ne m'attendais pas à ce que les choses prennent ce tournant. J'étais vraiment prête à déménager en France avec mes enfants.

Dire que, quelques semaines auparavant, elle s'imaginait qu'ils se marieraient. Mais elle tut cette pensée pour ne pas remuer le couteau dans la plaie, et poursuivit :

— Quoi qu'il advienne, renoncer à ma carrière ici aurait été une mauvaise décision. J'aime profondément mon métier, comme nous tous. D'une certaine manière, nous sommes tous mariés avec notre boulot, parfois plus qu'avec nos conjoints. On se bat pour notre travail, même lorsque c'est difficile. Mon père accouchait encore des femmes à 72 ans. Je voulais tout plaquer pour toi, mais c'était un trop gros changement. Et quand Ryan est tombé malade, je me suis rendu compte que je devais à Andy de nous accorder une dernière chance. Je ne sais pas si ça fonctionnera, mais là n'est pas la question. Ce que je sais, c'est que ce n'était pas le moment pour moi de déserter. Je me suis trompée. Tout est arrivé si vite. Jamais je n'ai voulu te blesser. Je suis désolée que les choses se terminent ainsi.

— Je ne suis pas certain que j'aurais pu tout quitter, moi non plus. Les vieilles habitudes ont la vie dure. Je croyais en être capable. Ma femme et moi n'avons plus assez de désir pour raviver la flamme de notre couple – et je ne sais même pas si elle le souhaiterait –, mais notre quotidien nous convient. Il est confortable.

C'était la première fois qu'il se montrait si honnête envers elle, et envers lui-même. Ces deux dernières semaines, il avait eu du temps pour réfléchir, et il en avait tiré ses propres conclusions. L'ardeur de leur passion les avait consumés trop vite, et ils auraient tous les deux pu en souffrir.

— Prends soin de toi, Stephanie. Tu peux toujours m'appeler si tu as besoin de quoi que ce soit.

— Merci.

Ils rejoignirent les autres et participèrent à la gaieté générale.

On était jeudi soir, et les Français partaient le samedi. Ils passèrent leur dernière journée à effectuer des achats de dernière minute pour leurs amis. Valérie, Marie-Laure et Wendy rencontrèrent les enfants de Stephanie. Ryan était redevenu le petit garçon plein d'énergie d'avant la maladie.

Stephanie, Bill, Tom et Wendy les accompagnèrent à l'aéroport. C'était une belle matinée de printemps. Wendy et Bill avaient ensuite l'intention de bronzer au bord de la piscine. L'adieu fut plein d'émotion. Tom ignorait comment il survivrait sans Valérie pendant trois mois. Elle lui avait confié la tâche de leur trouver un nouvel appartement qui corresponde à tous ses critères : une belle salle de bains, beaucoup de rangements, un jardin, au moins une cheminée, de hauts plafonds et une belle vue.

Ils s'étreignirent et s'embrassèrent. Stephanie et Gabriel aussi, même si leurs yeux restèrent humides un moment à l'idée de ce que leur relation aurait pu devenir.

— On aurait été merveilleux ensemble, lui chuchota-t-il.

Mais elle n'en était plus si sûre. Il n'avait pas proposé de renoncer à son poste pour elle, alors qu'il voulait qu'elle le fasse pour lui. À présent, ça n'avait plus d'importance.

Les quatre Français passèrent la sécurité en faisant de grands signes et en leur soufflant des baisers. Paul était tombé amoureux au moins 11 fois en quatre

semaines – un record pour lui. Valérie envoya un SMS
à Tom qui la regardait s'éloigner, le cœur serré.

Regarde sous ton lit.

Il lut le message en riant et porta la main à son
cœur avant de la saluer une dernière fois.

Puis ils s'en allèrent. Les Américains retournèrent à
leurs voitures et rentrèrent chez eux. Andy et Stephanie
iraient à la plage avec les garçons, avant sa garde du
soir. C'était son grand retour à la clinique et elle ne
s'en excusa pas. Elle avait retenu la leçon.

Quand il rentra chez lui, Tom regarda sous son lit et
y découvrit tous les sous-vêtements de Valérie, strings,
soutiens-gorge et porte-jarretelles. Elle lui avait tout
laissé, et il éclata de rire en tenant la dentelle entre
ses doigts. Les trois mois sans elle allaient être longs,
mais un avenir radieux les attendait.

Marie-Laure et Valérie s'assirent côte à côte dans
l'avion. Elles discutèrent de tout ce qui s'était passé,
des changements qu'elles avaient traversés pendant ces
deux mois et demi. La vie de Valérie était celle qui
avait le plus basculé, puisqu'elle comptait déménager
en Californie. Paul retournait en Afrique. Stephanie
et Andy avaient opéré un virage au quart de tour pour
finalement se retrouver. Tom était rentré dans le rang.
Bill s'était ouvert aux autres, et reprenait goût à la vie.
Quant à Wendy, elle avait fait une croix sur l'homme
qui avait volé six ans de sa vie et aurait continué à le

faire si elle ne l'en avait pas empêché. Tout le monde était arrivé à un tournant. Même Gabriel, qui allait retrouver son ancienne vie, le faisait par choix et non plus par défaut. La seule dont la vie n'avait pas été complètement chamboulée était Marie-Laure.

— Le bureau ne sera plus jamais le même sans toi, dit-elle à Valérie.

— Non, mais il sera encore mieux. Tu vas dégoter des recrues avec plein de nouvelles idées qui secoueront un peu tout ça. C'est ce dont on a besoin. C'était ce qu'on faisait l'une pour l'autre.

D'abord songeuse, Marie-Laure finit par s'endormir.

L'hôtesse de l'air la réveilla à l'approche de l'atterrissage pour l'informer qu'une escorte policière l'attendait à l'aéroport Charles-de-Gaulle.

— Mon Dieu, encore des menaces terroristes ? Bon retour en France, marmonna-t-elle à Valérie. Ils m'envoient une protection policière, va savoir ce qui s'est passé pour que ce soit nécessaire...

On fit descendre Marie-Laure en priorité. Elle s'attendait à voir une brigade de policiers ou de CRS armés pour l'escorter à travers l'aérogare, et fut surprise de voir Bruno en uniforme. Elle sourit.

— Qu'est-ce que tu fais là ?

— Je pensais que tu méritais une escorte pour ton retour triomphant en France. Tu es partie longtemps, il était temps de rentrer. On a besoin de toi ici.

Le sourire de Bruno éclairait ses yeux, formant des ridules au coin de ses paupières.

Il l'accompagna à travers le terminal, la faisant passer devant tous les autres passagers, récupéra son bagage pour elle et la conduisit jusqu'à son véhicule de fonction, gyrophares allumés, mais sans sirène.

— Tu m'as manqué, dit-il, quelque peu embarrassé par cette confession. On dîne ensemble bientôt ?

— Pourquoi pas ce soir ? Je ne récupère mes fils que demain.

Il était aux anges. Il l'aurait pour lui tout seul le temps d'un repas. Et après ça, comment savoir ce que l'avenir leur réservait, et quel vent de folie chamboulerait leurs vies ?

Elle rit quand la voiture entra dans Paris, filant à travers la circulation dense grâce aux lumières bleues du gyrophare.

— Je dois avouer que c'est plutôt agréable.

Ils échangèrent un regard tendre. Elle était heureuse qu'il soit venu la chercher à l'aéroport. Le lendemain, elle serait de retour au bureau, organisant la gestion des urgences en amont, quand lui serait en première ligne pour intervenir en aval. Ils formaient une équipe. Ils s'étaient rencontrés au beau milieu du chaos, et quelque chose de beau et de précieux en avait émergé. Soudain, elle se rendit compte que sa route et celle de Bruno avaient pris un tournant elles aussi. Leur vie deviendrait ce qu'ils choisiraient d'en faire. Et quoi qu'il advienne par la suite, ce serait au destin d'en décider. La vie leur souriait.

Vous avez aimé ce livre ?
Vous souhaitez en savoir plus sur Danielle STEEL ?
Devenez, gratuitement et sans engagement, membre du
CLUB DES AMIS DE DANIELLE STEEL
et recevez une photo en couleurs.

Retrouvez Danielle Steel sur le site :
www.danielle-steel.fr

La liste de tous les romans de Danielle Steel publiés aux Presses de la Cité se trouve au début de cet ouvrage. Si un ou plusieurs titres vous manquent, commandez-les à votre libraire. Au cas où celui-ci ne pourrait obtenir le ou les livres que vous désirez, si vous résidez en France métropolitaine, écrivez-nous à l'adresse suivante :

Éditions Presses de la Cité
92, avenue de France
75013 Paris

Composition et mise en pages
Nord Compo à Villeneuve-d'Ascq

MARQUIS

Québec, Canada

Imprimé au Canada